MAIS TEMPO MAIS DINHEIRO

autor de *Casais inteligentes enriquecem juntos*

Gustavo Cerbasi e Christian Barbosa

autor de *A tríade do tempo*

MAIS TEMPO MAIS DINHEIRO

Estratégias para uma vida mais equilibrada

Thomas Nelson Brasil

Rio de Janeiro
2009

Editor responsável
Nataniel dos Santos Gomes
Supervisão Editorial
Clarisse de Athayde Costa Cintra
Produtora Editorial
Fernanda Silveira
Capa
Valter Botosso Jr.
Revisão
Cibele Gandolpho
Margarida Seltmann
Magda de Oliveira Carlos Cascardo
Projeto gráfico e diagramação
Julio Fado

CIP-BRASIL. CATALOGAÇÃO NA FONTE
SINDICATO NACIONAL DOS EDITORES DE LIVROS, RJ

B195m

Barbosa, Christian
Mais tempo, mais dinheiro / Christian Barbosa, Gustavo Cerbasi. - Rio de Janeiro: Thomas Nelson Brasil 2009.

Inclui bibliografia
ISBN 978-85-7860-050-1

1. Administração do tempo. 2. Produtividade. 3. Finanças pessoais - Administração. I. Cerbasi, Gustavo, 1974-. II. Título.

09-3093. CDD: 658.456
CDU: 65.012.45

Rua Nova Jerusalém, 345 – Bonsucesso
Rio de Janeiro – RJ – CEP 21402-325
Tel.: (21) 3882-8200 – Fax: (21) 3882-8212 / 3882-8313
www.thomasnelson.com.br

A Deus, a Andressa, a Gabriel e a Miguel, que tiveram que ouvir muita música e apoiar meus momentos de foco e concentração. A meus pais, que sempre acreditaram no sonho.

CHRISTIAN BARBOSA

*

À Gabrielle, que antecipou em duas semanas sua chegada ao mundo para me inspirar; ao Guilherme, meu mais sincero e maior amigo; e à Adriana, a quem dedico cada segundo da minha vida. A meus pais, pela competência em preparar minha base e pelos conselhos sempre presentes. E a Rosa Selucio, Clarisse Cintra e Cibele Gandolpho, pela zelosa revisão feita no texto.

GUSTAVO CERBASI

Agradecimentos

Gostaria de agradecer, em primeiro lugar, a todos os leitores e usuários Triad, que ajudam a aprimorar nosso trabalho com sugestões, críticas, elogios e dados. Sem essas pessoas, seria impossível viver minha missão diariamente. À minha família, que sempre me apoiou em todos os momentos. Sem eles, nada disso faria sentido. Ao Miguel Cavalcanti, que sempre me envia conteúdo, dados e novidades. Aos amigos e às amigas, que por meio de bate-papos via messenger, celular ou pessoalmente me ajudaram a destravar alguma ideia.

Christian Barbosa

*

Não tenho como agradecer a outras pessoas tanto quanto à minha amada Adriana, que se multiplicou para tornar mais este trabalho viável. Nossa filha Gabrielle também nasceu enquanto o texto nascia (mais precisamente, durante o Capítulo 6). Mesmo enquanto a carregava no ventre e após o nascimento, a Adri trocou o conforto e o calor da nossa enorme cama para dormir na sala, ao meu lado, durante frias madrugadas, enquanto eu redigia. Seu incentivo foi a força necessária para manter-me centrado nessa fase tão sensível e emocionante.

Gustavo Cerbasi

Sumário

Introdução

Tempo é dinheiro, isso você já ouviu dizer. Mas, será que é mesmo, ou essa é somente uma retórica de quem quer abreviar uma relação comercial ou de trabalho? Se tempo fosse dinheiro, um desempregado seria muito rico, pois teria todo o tempo do mundo à sua disposição, sem nenhum patrão para espremer sua agenda. O que dizer, então, de moradores de regiões interioranas, aqueles lugares em que o tempo passa com a metade da velocidade das grandes cidades? Imaginou aquele capiau com um capim no canto da boca, sentado na porta de casa? Com todo aquele tempo, ele tem mais dinheiro do que você? Provavelmente não.

Tempo, portanto, não é exatamente a mesma coisa que dinheiro. Ambos são riquezas distintas que, somadas e bem utilizadas, conferem novo sentido ao conceito de prosperidade. Basta ter tempo disponível? Não. Dinheiro disponível também não serve para nada. É a utilidade que você tira de seu tempo e de seu dinheiro que determina o quão rico você é. Tempo bem utilizado pode fazê-lo ganhar mais dinheiro, mas, há maneiras de ganhar dinheiro sem consumir nosso tempo. Por outro lado, o tempo mal aproveitado pode lhe custar muito dinheiro, mas não podemos esquecer que uma boa dedicação de tempo ao nosso corpo e à nossa mente pode gerar benefícios sem necessariamente custar algo.

Perceba: para viver momentos felizes, você precisa de uma dessas riquezas. Se quer desfrutar de uma experiência única na vida, basta ter tempo, dinheiro ou ambos. A prática de um esporte radical exige dedicação de tempo e de recursos para a compra de equipamentos. Para presentear sua amada com flores enquanto você está em uma longa viagem de negócios, dinheiro será suficiente — basta ligar para um disque-entrega. Para desfrutar de momentos mágicos brincando com seu filho, talvez nada mais que tempo seja necessário.

Se perguntássemos para você, seus amigos, sua família e seus colegas de trabalho quais as coisas que eles mais gostariam de ter na vida, com certeza *dinheiro* e *tempo* estariam entre as suas maiores prioridades e das pessoas que você conhece.

É a utilidade que você tira de seu tempo e de seu dinheiro que determina o quão rico você é.

Quando você pensa em buscar realização, felicidade, paz, alegria e saúde, pode ter certeza de que tempo e dinheiro estão entre os primeiros pilares que irão ajudá-lo nessa busca. Se você não tem tempo, muito provavelmente também não terá dinheiro disponível. Se você não tem dinheiro, é bem provável que também tenha uma vida cheia de urgências e sem tempo para nada.

Pessoas com tempo têm maior probabilidade de ganhar ou usar melhor o dinheiro, e pessoas com dinheiro precisam aprender a ter tempo para viver de forma equilibrada e com a certeza de que conseguirão realizar suas maiores aspirações.

Provavelmente você já sabia disso. Todos sabemos e batalhamos por uma busca contínua e árdua por mais tempo e mais dinheiro na vida, cujo sucesso parece estar sempre um passo além de onde estamos. Por mais que aumentemos nossa renda, sentimos que nos falta dinheiro. Por mais que compremos maravilhas tecnológicas feitas para economizar nosso tempo, sentimos que nos falta mais para nos tornarmos realmente realizados. Parece que uma hora a mais por dia nos ajudaria a ter a vida mais organizada. Ou que 10% a mais de salário eliminaria grande parte de nossas insatisfações.

Falta tempo às pessoas? Falta dinheiro? Como concluir isso se a atual geração ganha mais do que as anteriores, e tem mais aparatos tecnológicos para tornar sua vida mais produtiva? Ao contrário do que muitos pensam ou sentem, tempo e dinheiro não são recursos escassos. Todos temos a mesma quantidade de segundos por dia que tinham nossos ancestrais. É possível que eles tivessem uma vida com mais qualidade (talvez sim, porque o conceito de qualidade de vida é bastante relativo). Mas vovô e vovó dedicavam horas e horas à elaboração de cartas que, postadas nos correios, alguns dias depois avisariam a seus parentes que eles estavam bem. Alguém se lembra de quanto tempo se gastava há poucos anos para elaborar cartões de Natal e preparar cada envelope para simplesmente compartilhar votos de paz e de felicidade? Para nos comunicarmos, gastamos hoje uma ínfima fração do tempo despendido há alguns poucos anos.

Ao contrário do que muitos pensam ou sentem, tempo e dinheiro não são recursos escassos.

Não falta tempo, nem dinheiro. Talvez nos falte o sentimento de realização. É mais provável que nos falte organização pessoal para definirmos com o que realmente queremos gastar nosso tempo e nosso dinheiro, a fim de colecionarmos mais momentos de realização pessoal. Isso realmente está faltando.

Neste livro, nós, Christian Barbosa e Gustavo Cerbasi, gratamente considerados os mais respeitados especialistas do Brasil em gestão de tempo e de dinheiro, respectivamente, unimo-nos para compartilhar com nossos leitores mais do que ensinamentos e técnicas de produtividade pessoal. O que realmente nos fez debruçar sobre esse trabalho multidisciplinar foi a oportunidade de compartilhar uma filosofia de vida, testada com vários clientes e em nossa própria vida, que implica simplesmente ter *mais*. Você perceberá, ao longo da leitura, que ter mais dinheiro não significa gastar menos, e que ter mais tempo não significa adotar uma maçante disciplina militar.

A sinergia entre dinheiro e tempo é tão grande que podemos nos arriscar em dizer que você não conseguirá ter um sem ter o outro de forma equilibrada. E não estamos afirmando que você será um milionário e terá todos os dias de férias. O que queremos é ajudá-lo a construir o seu ponto ideal e formar uma mente abundante na obtenção e utilização dos seus recursos de tempo e de dinheiro.

O texto foi realmente escrito a quatro mãos, com considerações dos dois especialistas na totalidade do livro. Quem entende um pouco de redação talvez tenha noção do quão complexa foi essa tarefa, já que ambos precisamos pensar em sintonia para transmitir aos leitores uma visão única, completa e em linguagem clara dessa filosofia. Até mesmo na elaboração deste livro estão aplicados os conceitos de mais tempo e mais dinheiro.

A sinergia entre dinheiro e tempo é tão grande que podemos nos arriscar em dizer que você não conseguirá ter um sem ter o outro de forma equilibrada.

Dois profissionais requisitados, com pouco espaço na agenda, não poderiam se dar ao luxo de se estender por meses na elaboração deste texto. Por isso, tiramos um dia para discutir nosso método a fim de viabilizar o livro, o qual colocamos em prática logo em seguida. Durante um mês, organizamos nossas ideias individualmente, antes de começarmos a escrever. Christian Barbosa é um excepcional gestor de seus conhecimentos. Gustavo Cerbasi traduz como poucos boas ideias em textos amigáveis. Com isso em mente, traçamos o roteiro do livro em tópicos que pretendíamos abordar. Christian começou a levantar dados para tratar desses tópicos e, a cada capítulo de informações levantadas, o conteúdo foi enviado ao Gustavo para discorrer sobre o assunto. Em um processo de pouco menos de trinta dias, o texto estava nas mãos de nossos editores para edição e produção gráfica. Um primor em termos de uso de recursos!

Obviamente, como dois especialistas, destacamo-nos pela individualidade de nossas ideias. Por isso, não é razoável supor que Gustavo e Christian possuem as mesmas opiniões e idealizações a respeito das mesmas filosofias, práticas e técnicas. Nossas ideias se complementam, às vezes, se misturam em um só conceito, e em outras situações simplesmente conflitam e geram um ponto de reflexão ou de escolha individual para você, leitor. Como consequência, optamos por destacar claramente as passagens contendo orientações, opiniões ou conclusões consideradas pessoais. Começamos por esta introdução, que termina com uma reflexão individual de cada autor sobre o tema que começa a ser degustado nas próximas páginas.

O que pensa Christian Barbosa sobre o uso equilibrado do dinheiro

Conheci o Gustavo Cerbasi em 2005, por intermédio de amigos de uma empresa de eventos que achavam que nossos temas tinham algo a ver. No começo, eu não conseguia ver tão claramente essa ligação, mas com o passar do tempo isso ficou muito claro. Ao ler os livros do Gustavo, achei diversas evidências de quanto os dois temas estão ligados. Ele fala sobre os erros das pessoas que se sentem pobres, que são: desprezar pequenos valores, desprezar negociações, não ter metas e ausência da percepção financeira. Os erros das pessoas sem tempo são muito parecidos: elas desprezam as pequenas atividades que roubam tempo, não sabem negociar consigo mesmas suas prioridades e seu planejamento, não têm metas e não têm a mínima noção de como utilizam seu tempo.

O Gustavo ensina ainda que o banco é um bom aliado, quando você sabe utilizar bem. O seu banco pessoal de horas (o tempo) funciona da mesma forma. Ele não é vilão, muito pelo contrário, é igual para todos — na verdade, é a única riqueza na face da Terra disponível em quantidade idêntica para cada ser humano vivo. O problema não é quantidade de dinheiro ou de tempo que as pessoas possuem, mas sim, a forma como elas utilizam esses recursos. Isso é o que faz a diferença. Nosso propósito, com este livro, é ajudá-lo a lidar melhor com essa relação. A fórmula para abundância financeira é uma tríade de escolhas inteligentes baseadas em inteligência relacionada aos gastos básicos, investimentos e luxo! Na Metodologia Tríade, ensino as pessoas a usarem seu tempo com sabedoria, com base em viver o importante, ter tempo para si e planejar o futuro.

O problema não é quantidade de dinheiro ou de tempo que as pessoas possuem, mas sim, a forma como elas utilizam esses recursos. Isso é o que faz a diferença.

Eu mudei completamente a minha forma de encarar o dinheiro depois de ler Gustavo Cerbasi. Gostaria de ter parado para pensar nesse assunto quando abri a minha primeira empresa de tecnologia aos 14 anos e comecei a fazer dinheiro. Hoje, consigo afirmar que sou inteligente financeiramente, tenho tempo e vivo de uma forma que me traz muita realização. A grande mudança foi aprender a usar os recursos de tempo e de dinheiro a meu favor no meu dia a dia.

O que pensa Gustavo Cerbasi sobre o uso equilibrado do tempo

Tive de aprender a lidar com o tempo escasso desde cedo. Não exatamente minha falta de tempo, pois há 25 anos o tempo era mais abundante, mas senti falta de tempo com meu pai. Para viabilizar um padrão de vida decente para nossa família, incluindo meus estudos e de minha irmã em um caro colégio privado, meu pai aceitou trabalhar a cerca de 300 quilômetros de onde vivíamos. Não havia outra solução, a não ser passar a semana longe da família.

Nosso convívio familiar, nos fins de semana, caracterizava-se basicamente pelo bom uso de nosso tempo. Eu acompanhava meu pai lavando o carro, fazendo os pequenos consertos de casa, assistindo às vitórias do Ayrton Senna nas manhãs de domingo e visitando familiares. Vida simples mas, notadamente, muito rica.

Meu tempo começou a ficar escasso a partir do que considero minha primeira conquista de carreira: quando comecei a fazer parte da equipe principal de natação do clube que eu frequentava. Estudando em um colégio exigente e tendo de dedicar quatro horas por dia aos treinos, não havia outra saída: como não dava tempo para estudar, a solução era aprender em sala de aula mesmo. Disso, nasceu minha grande preocupação com produtividade.

A carreira evoluiu, surgiram os primeiros empregos, e as oportunidades da vida se somaram à produtividade para resultar naquilo que a maioria dos profissionais liberais conhece bem: sentia-me um cara tão eficiente naquilo que eu fazia, que aceitava todo tipo de trabalho que me era delegado. Afinal, cada trabalho era uma fonte de renda, uma oportunidade de assegurar minha independência financeira cedo e não ter de me afastar da minha família para educar meus filhos.

Quando conheci o Christian Barbosa eu sequer havia tido contato anterior com ideias sobre gestão do tempo pessoal. Administrador formado, entendia muito sobre logística, produtividade, softwares e modelos de gestão de processos nas empresas. Mas, encontrar um profissional que, assim como eu, era reconhecido como uma referência de sucesso pessoal, e que me sugeria simplesmente não dedicar tempo ao que não me rendia satisfação (Que curioso: satisfação interpretada como um tipo de rendimento, sem envolver dinheiro!), foi um freio e tanto nos meus impulsos de planejador financeiro e de potencial *workaholic.*

Eu já sabia o caminho das pedras para ficar rico. Em 2005, bem na época em que eu conhecera o Christian, eu conquistava meu primeiro milhão de reais. Li sobre a Tríade do Tempo, instalei o Triad Software em meu computador, mas não consegui usar a ferramenta. Ela não ajudava muito a quem não tinha absolutamente nenhum tipo de rotina, como eu. A cada dia, eu acordava em um horário diferente, em um estado diferente, ministrando cursos e palestras nos mais diversos horários do dia, preparando palestras nos feriados e folgando em dias de fechamento contábil na maioria das empresas.

Mas, os conceitos da Tríade foram, aos poucos, ganhando prioridade em minhas escolhas. "Deixe de lado o circunstancial" foi uma frase que ouvi e que revolucionou minha vida. Hoje, 75% dos e-mails que recebo sequer entram em minha caixa de entrada. Param em uma de minhas três barreiras: o anti-spam do provedor, o anti-spam de meu computador e a lista de e-mails bloqueados de meu Outlook. Aliás, peço desculpas pela falta de resposta a amigos que me mandam mensagens divertidas e correntes com frequência...

Outras duas ideias do Christian que viraram do avesso minha lista de prioridades foram: "se você enfartar hoje, seus clientes entenderão sua falta de tempo para um compromisso" e "marque na agenda os compromissos com você mesmo". Hoje, dizer não a um almoço de negócios porque eu simplesmente decidi apanhar meu filho na escola não me incomoda. Quando alguém me pede uma data para uma reunião e eu digo que só tenho daqui a dois meses, as pessoas entendem. Não preciso explicar que trabalho apenas três ou quatro dias por semana, e os outros dias eu tiro para minha vida pessoal e aprendizado. Opa! Talvez, depois dessa confissão, eu tenha de ser mais convincente para recusar datas...

Independentemente das ferramentas e dos argumentos que utilizo, hoje, com muito tempo dedicado a fazer somente o que eu realmente gosto (mesmo que seja trabalhar no que eu amo), eu me sinto muito mais rico do que no dia em que conquistei meu primeiro milhão. Graças, em grande parte, às reflexões que tive com o Christian nos bastidores de eventos, poltronas de avião ou simplesmente almoçando em Santos durante nossos encontros de ideias.

O Mais Tempo & Mais Dinheiro já existia desde 2005, na forma de eventos que ministramos juntos. A ideia do livro existia desde então, mas tivemos de encontrar tempo em nossa apertada agenda de realizações para encarar o desafio de escrever um livro a quatro mãos. Para quem está acostumado a planejar e a realizar sonhos em prazos mais curtos, esta obra é, enfim, a realização de um sonho antigo. Espero que ajude a realizar seus sonhos também.

*

Gustavo Cerbasi é um típico representante da chamada Geração X, que ama a simplicidade e a funcionalidade, e que sustentou a construção de sua riqueza em estratégias e práticas simples, seguidas com disciplina. Christian Barbosa, por outro lado, faz parte da Geração Y, amante da tecnologia, que fez da automatização de seus processos cotidianos a base de uma carreira bem-sucedida, resultando na formação de um pequeno império empresarial. Dois especialistas, um objetivo: tornar sua vida mais rica, tanto em condições financeiras para viabilizar sonhos, quanto em tempo disponível para realmente desfrutar deles.

Capítulo 1

As gerações de produtividade

Christian Barbosa

> Quando, aos 9 anos, comecei a programar e a ganhar algum dinheiro com a venda de joguinhos ou de programas para a empresa do meu pai, eu sempre ouvia as pessoas me dizerem: "Tempo é dinheiro! Quanto mais rápido você acabar o programa, mais rápido vai receber." O tempo passou e essa frase ainda é recorrente nos dias de hoje, porém está começando a ser substituída por "Tempo é vida, vamos aproveitar!"

Essas frases nos mostram um choque de ideias mais profundo, sendo, na verdade, um choque entre gerações que mudaram radicalmente a forma como encaram o uso da tecnologia, do conhecimento, da cultura e, obviamente, do tempo e do dinheiro.

Existem diversas definições para a idade exata que define uma geração, o que, em nosso contexto, não é o mais importante. O que melhor define uma geração, em termos práticos, é um conjunto de vivências históricas compartilhadas, princípios de vida, visão, valores comuns, formas de relacionamento e de lidar com o trabalho e a vida.

Façamos uma reflexão sobre as quatro principais gerações vivas existentes: os *Baby Boomers*, a Geração X, a Geração Y e a novíssima Geração Z. Antes dessas gerações temos os chamados *Seniores*, que nasceram antes de 1925 e formam uma geração que criou grandes fortunas, e os *Builders* (construtores), que nasceram de 1926 a 1945 e foram os grandes responsáveis por iniciarem os princípios de gestão de tempo. Depois deles, vieram os *Baby Boomers* — expressão que vem de *baby boom*, ou explosão de bebês, referindo-se ao grande aumento no número de nascimentos após a Segunda Guerra.

Baby Boomers

Os *Baby Boomers* nasceram entre 1946 e 1964, época que foi marcada inicialmente por grandes taxas de desemprego, devido ao término da indústria bélica. Eles tinham uma necessidade de empreender ou de criar grandes estruturas corporativas, eram voltados a normas e burocracias e adoravam uma hierarquia. Em um artigo da revista HSM de novembro de 1998, um executivo sênior de um banco de Nova York, típico *Baby Boomer*, contou sua experiência: "Como subalterno, eu sequer tinha uma sala, é claro. Trabalhava em um local que eles costumavam chamar de plataforma. Ter uma sala era sinal de sucesso. Só usávamos camisas brancas. Usávamos chapéu dentro e fora do escritório. Os chapéus faziam parte do uniforme. E, obviamente, não ousávamos tirar o paletó. Nem mesmo dentro da sala, para os que tinham uma. Era totalmente proibido. Ficávamos de paletó o dia todo, mesmo com a porta da sala fechada."

O uso do tempo pelos *Baby Boomers* estava extremamente associado à produção, já que, por quanto mais tempo você produzisse, mais reconhecido seria e mais dinheiro ganharia. O tempo era fundamentado principalmente na realização da vida profissional. Equilíbrio era uma questão secundária. Tempo era unicamente dinheiro e a mulher não tinha uma posição no mercado profissional, sendo seu tempo focado na casa e nos filhos.

Geração X

A Geração X compreende as pessoas nascidas basicamente entre 1965 e 1980, mas alguns especialistas consideram até 1977 e dizem que a Geração Y teve início em 1978. A Geração X possui uma visão claramente contrária à dos *Baby Boomers*. Eles basicamente desejam contradizer os padrões criados pelas gerações anteriores.

Dá para entender um pouco melhor a Geração X se analisarmos que ela viveu grandes transformações históricas e culturais, como a queda do Muro de Berlim, o fim dos grandes estadistas, a geração MTV, o início do microcomputador, Apple, Microsoft, Tartarugas Ninja, He-Man, Disney Magic Kingdom, Palm, Aids, Blade Runner, cultura hippie etc. Foram tantas novidades e mudanças, que fizeram com que a Geração X tivesse uma completa ruptura ideológica e social com as gerações anteriores.

O uso do tempo da Geração X também teve várias transformações, começando pelo desenvolvimento de metodologias e formas de ver o tempo de outra maneira, não apenas focando a vida profissional. A questão do equilíbrio entre vida pessoal e profissional se tornou vital para a carreira. A introdução da internet e do e-mail, nesse contexto, transformou a forma de comunicação do profissional e a velocidade da informação passou a gerar a sensação de que ele está correndo mais rápido a cada dia.

A Geração X coloca a mulher em posições de destaque no mercado de trabalho e quebra diversos tabus. Por exemplo, entre as mulheres da Geração X que responderam a uma pesquisa do Gallup, 61% disseram preferir se subordinar a outra mulher, contra 26% das mulheres de um grupo da geração *baby boom*. Em contrapartida, novas atividades geram para a mulher um volume de estresse nunca antes visto, aumentando significativamente o número de infartos femininos e a busca por formas de ter uma vida mais equilibrada.

Geração Y

A Geração Y compreende as pessoas nascidas entre 1979 e 2000, e que vêm ocupando um grande espaço no mercado de trabalho. É a geração Power Ranger, Jimmy Neutron, Orkut, Matrix, Twitter, iPod, iPhone etc. Boa parte da sua vida esteve dentro de um computador conectado à internet, muitos usaram MSN, GTalk e Skype, entre outras ferramentas para fazer os trabalhos da escola ou da faculdade.

É uma geração muito decidida, sabe o que quer, alguns parecem ter seu próprio mundo, sua própria comunidade. Muitos são filhos de "Xs" que não tinham muito tempo para si próprios ou viveram com pais separados. A Geração Y está transformando a forma como as empresas funcionam. O pessoal da área de Tecnologia da Informação tem muito trabalho para lidar com essa geração que quer se comunicar por Twitter, instalar blogs e criar comunidades no Facebook ou no MySpace para a empresa.

Uma grande parcela de empresas de web, software e marketing, entre outros segmentos, é composta 100% por pessoas da Geração Y. Em termos de tempo, esse pessoal se importa como nunca em fazer as coisas de que gosta, ter tempo para lazer, para jogar Nintendo Wii ou PSP, ficar em comunidades na Net. Equilíbrio é mais importante que cargo ou salário. Outra grande mudança é a tendência a multitarefa. Apesar de a qualidade ainda não ser muito efetiva, eles já começam a dar os primeiros passos para fazer muitas coisas bem feitas ao mesmo tempo. Usam a internet para gerenciar e colaborar, usam softwares de produtividade, gostam de reuniões virtuais e não gostam muito de conversar via e-mail.

O que veremos nos próximos anos é uma adequação, e não um conflito de valores entre as gerações. Cerca de 75 milhões de trabalhadores terão se aposentado nos próximos dez anos nos EUA — os *Baby Boomers* — e, com eles, 50% dos CEOs das maiores empresas do país. Para que as organizações consigam suprir essa lacuna, os profissionais que já estão no mercado (Geração X) deverão interagir com a Geração Y, que está chegando agora e conta com apenas 45 milhões de pessoas.

Geração Z

E, por fim, chegamos a ainda pouco divulgada Geração Z ou, como dizem, *The New Kids on the Virtual Block* (as novas crianças no bloco virtual). É a geração que engloba todas as pessoas nascidas após o ano 2000. Essa geração nasceu com internet banda larga, Google, smartphone, jogos *online*, Xbox e mais uma série de *gadgets*.

Christian Barbosa

Eu, que colaborei com o nascimento de dois membros da Geração Z, ouvi de meu filho mais velho quando estava na quarta série: "Pai, como você fazia na escola, quando não tinha Google nem MSN?"

Essa ultranova geração nasceu na velocidade do conhecimento. Eles não são acelerados; velocidade é o ritmo normal deles. Têm acesso a um volume de informações a que nenhuma outra geração teve tão fácil e rapidamente, e a forma como eles levarão isso ao mercado profissional é o que veremos nas próximas décadas. Tudo indica que eles serão a geração do tempo bem aproveitado! Serão mais focados, conseguirão executar múltiplas atividades com mais qualidade e terão uso pleno das tecnologias de colaboração.

Gerações estressadas

Existe um problema que, infelizmente, se tornou comum ao longo de todas as gerações atuais: o estresse. Nosso mundo moderno criou uma sociedade de pessoas estressadas, sobrecarregadas, com excesso de informação e de prioridades.

Existem diversas definições para o estresse, mas podemos sintetizá-lo na reação biológica do seu organismo, na resposta de algum tipo de demanda. Qualquer coisa que imponha um desafio ou ameace o seu bem-estar é um tipo de estresse.

O estresse não é uma doença, mas sim a capacidade da pessoa de se adaptar a qualquer estímulo, tanto físico como emocional. Essa capacidade de adaptação é estudada desde o início do século passado, mas só foi estabelecida da forma como a conhecemos a partir dos trabalhos dos fisiologistas Walter Cannon e Hans Selye, que a denominaram de *síndrome geral de adaptação*, ou estresse (palavra que foi trazida da engenharia, e que se refere ao desgaste de materiais submetidos à pressão excessiva).

A falta de tempo e de dinheiro gera estresse? Não encontramos nenhuma pesquisa sobre essa pergunta, mas podemos concluir que, sem dúvida, as preocupações financeiras deixam você sem dormir, o que acaba afetando sua produtividade e deixando-o sem tempo para nada. Em consequência, seu nível de estresse aumenta e tira sua capacidade de criar novas oportunidades para ampliar sua renda. É um círculo vicioso, que, se não for interrompido, paralisará seu progresso.

Nosso mundo moderno criou uma sociedade de pessoas estressadas, sobrecarregadas, com excesso de informação e de prioridades.

De acordo com uma pesquisa da União Geral dos Trabalhadores na Europa, feita em junho de 2008, 73% dos trabalhadores sofrem de estresse no ambiente de trabalho. Três quartos deles também têm problemas de saúde por conta dessa situação. As doenças mais comuns são fadiga, dor no pescoço, dor de cabeça, irritabilidade, sensação de angústia, insônia, falta de concentração e dificuldades de visão.

Outro estudo, realizado pelo Hospital do Coração de São Paulo em 2008, com mais de 400 executivos que passaram pelo seu *check-up* clínico, mostrou que 59% dos pesquisados não estão apenas com estresse, mas sim com um índice elevadíssimo de estresse. O detalhe dessa pesquisa é que a faixa etária dos pesquisados está entre os 20 e 30 anos, ou seja, a Geração Y está estressada!

Um estudo da *International Stress Management Association* no Brasil mostrou que 70% dos brasileiros sofrem de estresse no trabalho. Mas não é um número muito diferente de outros níveis mundiais. Na Inglaterra, o percentual é similar. Nos Estados Unidos, sobe para 72%. De acordo com a Associação Médica Americana, o estresse está direta ou indiretamente relacionado às seis principais causas de morte no mundo: doenças do coração, câncer, enfermidades do pulmão, acidentes, cirrose e suicídio. Nesse campo, o Japão ocupa o primeiro lugar, apresentando 70% de profissionais estressados em fase *burnout* (nível intenso de exaustão prolongada e diminuição de interesse, especialmente em relação ao trabalho e às pessoas). Em segundo está o Brasil, com 30% nessa fase, seguido pelos Estados Unidos, com 20%.

Nosso objetivo é ajudá-lo a se conscientizar de que tempo é vida e que sucesso não será medido apenas pelas suas conquistas materiais, mas sim pela qualidade de vida que você tiver!

Na pesquisa feita entre mais de 5 mil mulheres para o livro *Você, dona do seu tempo* (Christian Barbosa, Editora Gente, 2007), quando questionadas sobre se conseguiam equilibrar vida pessoal e profissional, 70% das entrevistadas afirmaram que não conseguem ter tempo para ambas as coisas, e isso acaba sendo a causa de grande estresse e frustração.

A boa notícia com relação a todos esses dados alarmantes do estresse é que ele pode ser mantido em níveis aceitáveis, se você conseguir aprender a administrar bem seu tempo e sua vida financeira. Nosso objetivo é ajudá-lo a se conscientizar de que tempo é vida e que sucesso não será medido apenas pelas suas conquistas materiais, mas sim pela qualidade de vida que você tiver! Para conseguir essa desejada melhoria no uso de seus preciosos recursos, iniciaremos explicando como suas decisões de hoje influenciam toda sua vida futura, determinando o ritmo de construção — ou destruição — de seu bem-estar e prosperidade.

Capítulo 2

Os ciclos

Você já parou para pensar como algumas pessoas têm o que parece ser uma "sorte natural" em tudo aquilo que fazem? Já parou para observar que algumas pessoas nos dão a impressão de que transformam em ouro tudo o que tocam? Que a vida para essas pessoas flui naturalmente? Você chega a ficar impressionado como problemas de tempo e de dinheiro são facilmente resolvidos por elas.

Você também já reparou que existem pessoas que são exatamente o oposto? Pessoas que vivem cheias de problemas financeiros, sem tempo para nada, vivem reclamando de tudo, são lotadas de urgências e, aparentemente, sempre retornam ao mesmo ponto, dando a impressão de que a vida não sai do lugar ao longo dos anos?

Enquanto muitos parecem estagnados ou afundando mais a cada dia na vida, outros parecem evoluir continuamente. Os dois cenários são extremamente comuns quando observamos as pessoas em seus aspectos de tempo e de dinheiro. Esses dois extremos são o que vamos chamar de "Ciclos Pessoais", que são formas que escolhemos para viver, conduzir nossas escolhas e obter os resultados pessoais.

Geralmente, entendemos por ciclo tudo aquilo que nos traz uma noção de repetição, algo que se completa após determinadas etapas, dando início a um novo ciclo após a conclusão do anterior. Por enquanto, não importa se o ciclo se completa a cada mês de salário, a cada ano de trabalho ou a cada etapa concluída na vida (faculdade, casamento, filhos, aposentadoria etc.). Trataremos essa questão em detalhes adiante.

Na nossa definição, queremos que você imagine que uma pessoa cuja vida estiver em evolução — ou seja, prosperando em suas diversas áreas pessoais — estará completando cada ciclo de sua vida em um patamar mais elevado do que o que iniciou. Uma pessoa em decadência financeira, profissional ou de saúde estará completando seu ciclo em um patamar mais baixo do que o de início. É como se, em vez de completar um trajeto circular, essa pessoa estivesse percorrendo uma espiral em sua vida.

A definição de espiral na matemática é totalmente compatível com o que queremos fazer você entender. Uma espiral é uma curva que gira em torno de um ponto em seu centro de forma a se afastar ou se aproximar desse eixo central de acordo com o sentido em que ele percorrer. Pense em uma espiral tridimensional, como em uma mola: ela acrescenta à espiral bidimensional uma variável chamada altura, que pode ir para cima ou para baixo do ponto central.

Uma pessoa cuja vida estiver em evolução estará completando cada ciclo de sua vida em um patamar mais elevado do que o que iniciou.

A espiral ascendente, que vai para cima, chamaremos de Ciclo da Prosperidade, que é justamente a que ilustra a vida das pessoas que dão resultados, que conseguem ter prosperidade financeira, tempo de forma sustentável para fazer as coisas realmente importantes e para seus relacionamentos. Seus ciclos de vida formam literalmente uma espiral ascendente, porque quem a vive está sempre evoluindo, não para no ponto e estaciona. A cada ano a pessoa avança para níveis superiores.

A espiral descendente, que caminha no sentido oposto, chamaremos de Ciclo da Frustração. Representa as pessoas que vivem reclamando: falta tempo para tudo, os compromissos se acumulam, o dinheiro acaba antes do fim do mês, não conseguem poupar nem dedicar momentos importantes para si próprias. Quando as más escolhas resultam em problemas, como comprometimento da saúde, estagnação na carreira enquanto os gastos da família crescem, aumento de peso e afastamento dos amigos, identifica-se claramente uma espiral descendente, pois as pessoas que vivem assim se sentem decaindo. A cada ano que passa, aumentam os problemas.

Entre as espirais, podemos identificar uma situação intermediária, a das pessoas que vivem uma rotina que jamais muda. Afirmam que não têm problemas, mas também não conseguem realizar sonhos. Entra ano e sai ano, estão sempre na mesma vidinha. Orgulham-se de terem as contas em dia, mas não fazem poupança. Quando perguntadas sobre como está a vida, a resposta costuma ser "vai indo...". Podemos afirmar que essas pessoas não têm nas espirais de suas vidas a variável altura, que as faria mudar de patamar de tempos em tempos. Como elas se mantêm sempre no mesmo nível, denominamos essa situação de Ciclo da Sobrevivência. É uma situação estática e repetitiva, um equilíbrio não producente, como um cão correndo atrás do próprio rabo. Sua vida consiste simplesmente em sobreviver, em um eterno e burocrático acordar-comer-trabalhar-dormir. Muitas vezes, essa sobrevivência cria voltas enormes ao longo do ponto central. A pessoa literalmente não sai do lugar, mas tem um trabalho enorme para manter sua vida na atual situação, muitas vezes por falta de organização pessoal. Ou melhor, por falta de tempo para se organizar.

Um fator pertinente aos ciclos é que eles são os verdadeiros consumidores de três recursos básicos: nossa energia, tempo e dinheiro. No Ciclo da Prosperidade, essa consumação dá origem a uma propulsão para gerar mais energia, dinheiro e tempo. No Ciclo da Frustração, essa trindade é consumida, mas com efeito contrário, apenas dispersando esses recursos — tudo que fica é cansaço, estresse e desânimo. No Ciclo da Sobrevivência, o desperdício ou o mau uso dos recursos simplesmente não gera resultados, pois o esforço e a iniciativa para mudar são pequenos.

Como veremos mais adiante, a diferença está na maneira de usar nossos recursos, isto é, no método aplicado na utilização das três propriedades que movem nossa vida. Apesar de tratarmos como método, muitas pessoas o fazem de maneira inconsciente, apenas repetindo modelos aprendidos com seus pais e outras pessoas que as rodeiam. Mas, antes de nos aprofundarmos no método em si, detalharemos as características dos ciclos citados, para que você perceba de qual deles faz parte e os motivos para isso estar acontecendo.

O Ciclo da Frustração

Quem vive este ciclo está afundando na vida, mesmo que resista em reconhecer isso. O primeiro passo para inverter a rotação da sua espiral e começar a ascender é entender o seu atual momento, aceitar sua situação e criar uma estratégia de mudança.

O Ciclo da Frustração é o momento na vida em que fazemos muito, mas não temos os resultados que esperamos, ou então quando não temos perspectivas de mudanças para melhor no trabalho e as condições pessoais e familiares estão decaindo. É o momento em que nossas finanças estão em desequilíbrio, nosso tempo está curto, não temos qualidade de vida e o estresse é constante. Você tem a sensação de que está sempre ocupado, sempre correndo, sempre precisando de mais dinheiro.

Sabemos que precisamos mudar algo, mas falta tempo para fazer planos. Aliás, se falta tempo até para manter a papelada e as contas do dia a dia em ordem, como será possível pensar em mudanças? Sabemos que nos falta um título no currículo para chegar àquela promoção, mas como conseguir estudar à noite, se a cada dia somos mais cobrados por trabalho e resultados?

Já começamos o mês em dificuldades. Não temos mais aquele ânimo para trabalhar. A criatividade ficou para trás, não nos sentimos mais jovens. Se nossa renda depende diretamente dos resultados do nosso trabalho, como acontece com vendedores profissionais, a sensação é a de que está cada vez mais difícil fechar negócios. No meio do mês, um oficial de Justiça nos traz uma notificação de que o automóvel, com prestações atrasadas, será retomado pela financeira. As coisas vão piorando. A primeira iniciativa de uma pessoa sem dinheiro é tirar dela mesma. Se for mulher, deixa de fazer a unha, então fica mal com ela mesma, produz menos e compromete sua capacidade de ganhar dinheiro. Parece que, sem dinheiro, tudo fica urgente, sai tudo errado, colaborando para empobrecermos mais. Fechamos o mês com dívidas maiores do que as que tínhamos há trinta dias. Até quando isso vai durar? Para trazer alguma esperança, fazemos uma fezinha, jogando na loteria a certeza de que, se ganharmos o prêmio, largaremos de vez esse emprego dos infernos que não nos ajuda a ter uma vida digna.

O Ciclo da Frustração é o momento na vida em que fazemos muito, mas não temos os resultados que esperamos.

E quanto mais passa o tempo, mais nos frustramos e mais envelhecemos, às vezes, ainda jovens. Mais aumentam nossas dívidas. Mais jogamos na loteria. É um ciclo, ou melhor, uma espiral. Descemos ao longo da vida, como se escorregássemos pelos anéis de uma gigantesca mola imaginária.

Algumas características do Ciclo da Frustração são:

- Dificuldades em definir o que é exatamente importante na sua vida, de definir metas específicas e com números ou indicadores que permitam mensurar seu progresso.
- Falta de equilíbrio entre vida pessoal e profissional.
- Procrastinação com motivos ou sem motivos, ou até não reconhecer quando procrastina, mas ter a sensação de que deixou algo pendente.

- Excesso de urgências e atividades circunstanciais, isto é, sem importância, que apenas gastam seu tempo à toa.
- Dificuldade em planejar seu futuro próximo (três dias ou mais) e perder-se com todas as atividades que precisam ser executadas.
- Indecisão e dificuldade para fazer escolhas conforme as situações da vida.
- Inveja e revolta com relação a conquistas de terceiros ou possíveis mudanças de padrão do seu estilo de vida atual.
- Falta de tempo para você mesmo e sensação de começar a deixar de lado coisas importantes devido à correria do dia a dia.
- Falta de planos organizados para conquistar seus sonhos ou realizar mudanças pessoais.
- Sensação de tristeza no domingo, por saber que na segunda-feira tudo começa novamente.

O maior risco de entrar no Ciclo da Frustração é que seu sentido é descendente, ou seja, ele deve piorar se você não mudar. Quem entra pode começar a viver um redemoinho pessoal de circunstâncias da vida que apenas o levam mais para o fundo do próprio buraco, até que chega um momento em que a situação se torna insuportável e você precisa mudar para não arruinar os alicerces de sua vida: família, emprego e saúde.

Obviamente, sabemos que a mudança é possível, mas se você esperar chegar ao fundo do poço para começá-la, demorará a encontrar resultados positivos e terá muito mais trabalho para chegar ao que sugerimos ser um equilíbrio de vida, que é desfrutar do Ciclo da Prosperidade.

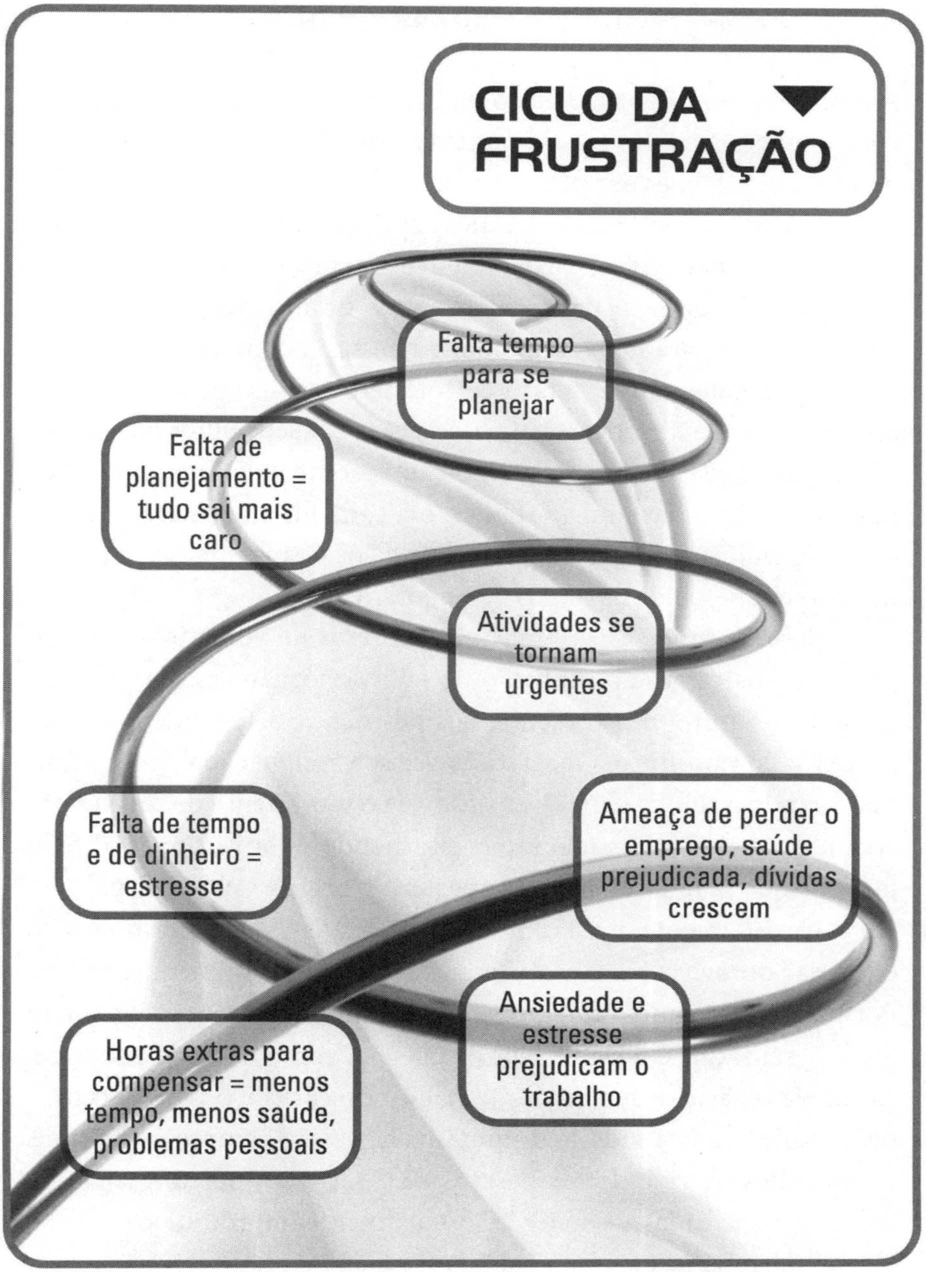
CICLO DA FRUSTRAÇÃO
Falta tempo para se planejar
Falta de planejamento = tudo sai mais caro
Atividades se tornam urgentes
Falta de tempo e de dinheiro = estresse
Ameaça de perder o emprego, saúde prejudicada, dívidas crescem
Ansiedade e estresse prejudicam o trabalho
Horas extras para compensar = menos tempo, menos saúde, problemas pessoais

O Ciclo da Sobrevivência

A maior diferença entre o Ciclo da Frustração e o Ciclo da Sobrevivência está na relativa estabilidade da situação e também dos sentimentos e aspirações das pessoas que os vivem.

Há quem não cultive maiores aspirações do que trabalhar das 8 às 18h, receber seu salário, corrigir pequenos desvios de rota com a chegada do décimo terceiro ou bônus de fim de ano, trabalhar discretamente para não incomodar e não ser incomodado, fazer seu *check-up* anual e manter a taxa de colesterol a uma fração da condição limítrofe. Felicidade? Resume-se a garantir seus filhos na escola e torcer para que eles encontrem seu caminho na vida. Em famílias de mais alta renda, dar um apartamento a cada filho que casa significa ter cumprido sua missão na Terra. Ambições? Imagine, só se tivesse nascido em berço de ouro, é o que pensam.

Sobrevivemos assim, mas não vivemos de verdade. No longo prazo, a frustração e a sensação de falta se tornam muito grandes. Quando o futuro vira presente, tais pessoas se arrependem de não ter pensado no futuro. Ou, pior, às vezes a resignação é tão grande, que quando o futuro chega, vem com ele o sentimento de revolta por acreditar que os filhos não estão retornando o "investimento" feito neles, já que se limitam a pagar apenas o plano de saúde dos pais.

Curiosamente, muitas pessoas conseguem se manter presas ao Ciclo da Sobrevivência mesmo quando estão em evolução na carreira. Por mais que galguem funções em hierarquias superiores e ganhem mais, a sensação é a de um vazio imenso, como se nada mudasse. Aumenta o salário, aumenta o tamanho do carro e o preço do traje de trabalho, mas a vida não muda nada — são sempre as mesmas dificuldades. A vida dessas pessoas se caracteriza por um Ciclo da Sobrevivência cada vez maior, mas igualmente improdutivo.

Podemos fazer uma analogia do Ciclo da Sobrevivência com um corredor que quer correr dez quilômetros. Se ele subir em uma esteira elétrica e começar a correr, ficará cansado, perderá líquidos e sais minerais, mas não sairá do lugar. Se você estiver na rua e começar a correr, vai percorrer dez quilômetros e ter as mesmas sensações, mas vai correr para a chegada, vai sair do lugar. O que você prefere? Correr e chegar, ou correr e apenas se cansar? Quantas pessoas não estão apenas simulando suas vidas sobre esteiras elétricas, vivendo para pagar contas sem sair do lugar?

Curiosamente, muitas pessoas conseguem se manter presas ao Ciclo da Sobrevivência mesmo quando estão em evolução na carreira.

O Ciclo da Sobrevivência pode ser uma opção de vida para muitas pessoas. Não estamos dizendo que ela seja negativa, só queremos que você compreenda que uma pessoa com ambição, e com objetivos maiores não pode se contentar em apenas sobreviver. Ela quer dar saltos na direção das coisas que considerar realmente importantes.

Algumas características do Ciclo da Sobrevivência são:

- Dificuldades em definir o que é exatamente importante na sua vida, em definir metas específicas e com números ou indicadores que permitam mensurar seu progresso.
- Resignação quando convidado a planejar algo minimamente ambicioso, como uma viagem com amigos ou uma festa.
- Não conseguir acumular riqueza e utilizar as reservas financeiras no dia a dia.
- Resistência a realizar mudanças que se mostram necessárias na vida, muitas vezes apontadas por amigos.
- Autossatisfação com as condições atuais que estão sendo vividas e sem grande vontade de fazer mudanças.
- Indiferença com relação a conquistas de terceiros ou possíveis mudanças de padrão do seu estilo de vida atual.

- Falta de planos organizados para conquistar seus sonhos ou realizar mudanças pessoais.
- Sensação de tristeza aos finais de semana, pela falta de trabalho para preencher o tempo.

O maior risco de entrar no Ciclo da Sobrevivência é a falsa sensação de estabilidade. Parece que a vida não muda, mas, cedo ou tarde, bastará um pequeno acidente de saúde, de trânsito ou de carreira para que a pessoa ingresse no perigoso Ciclo da Frustração, com poucas chances de mudar. Afinal, a pessoa que vive o Ciclo da Sobrevivência não possui reservas financeiras nem psicológicas para virar a mesa e recomeçar a vida.

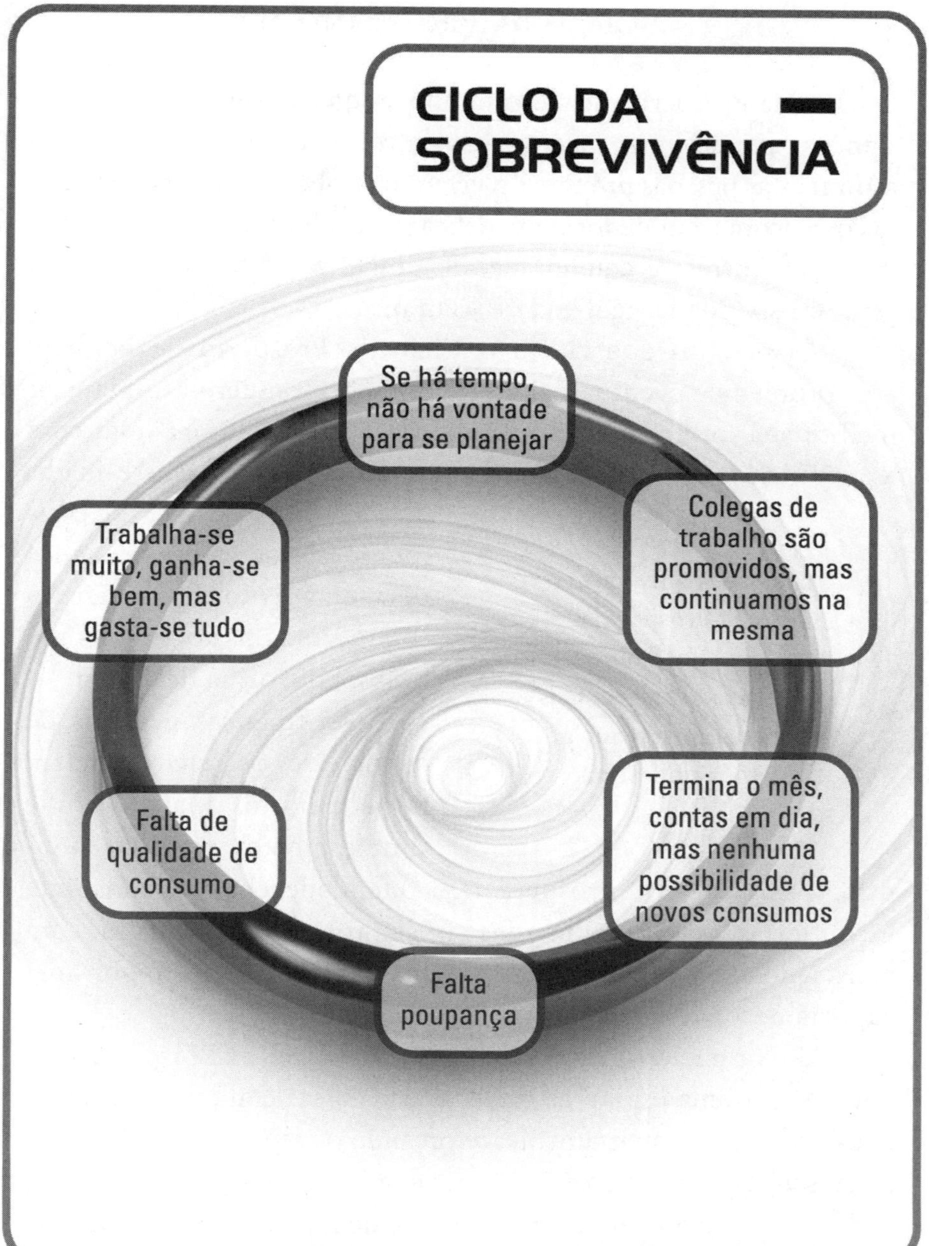
CICLO DA SOBREVIVÊNCIA
Se há tempo, não há vontade para se planejar
Colegas de trabalho são promovidos, mas continuamos na mesma
Termina o mês, contas em dia, mas nenhuma possibilidade de novos consumos
Falta poupança
Falta de qualidade de consumo
Trabalha-se muito, ganha-se bem, mas gasta-se tudo

O CICLO DA PROSPERIDADE

O Ciclo da Prosperidade é o caminho ao qual devemos focar nossa atenção, que devemos viver em nossa rotina diária e que devemos estimular as pessoas próximas a viverem também. É a esfera das coisas que acontecem de forma benéfica, da evolução, do tempo usado da forma correta e equilibrada, do dinheiro sendo utilizado para gerar prosperidade, bem-estar e segurança.

As pessoas que vivem o Ciclo da Prosperidade também têm problemas eventuais de tempo, mas aprenderam a planejar melhor sua rotina, a definir e a executar suas metas e a lidar com as urgências. São pessoas que tomaram conta dos seus e-mails, que aprenderam a fazer boas reuniões, que vivem bem seus relacionamentos e sua família e que cuidam do seu tempo pessoal de forma devotada.

> **As pessoas que vivem o Ciclo da Prosperidade também têm problemas eventuais de tempo, mas aprenderam a planejar melhor sua rotina.**

As finanças pessoais de quem vive esse ciclo refletem tal equilíbrio. Mais do que simplesmente acumular poupança, uma pessoa próspera tem qualidade em seu consumo, inclui férias, coleções e manias em sua rotina, usa o crédito com consciência e moderação, poupa com objetivos e não só por uma suposta necessidade de acumular.

Uma característica predominante do Ciclo da Prosperidade é que ele cria uma espiral ascendente em nossas conquistas. Quanto mais você o vive intensamente, reforçando os aspectos que dão base ao crescimento, mais evolui. Se você analisar as pessoas que tiveram um sucesso extraordinário, perceberá como uma coisa chama a outra. O tempo dedicado a uma oportunidade interessante dá origem a um contato que, no futuro, gera uma proposta de negócio, que acaba gerando mais prosperidade, a qual resultará em momentos agradáveis com as pessoas que você ama. Tudo parece dar certo nessa esfera, mas na verdade é a energia positiva e a sua forma de fazer escolhas, de ampliar a zona de conforto e adquirir novos conhecimentos que produzem essa ascendência.

Algumas características do Ciclo da Prosperidade são:

- Controle permanente, mas não absoluto, sobre o uso do tempo com foco nas coisas importantes.
- Facilidade em escolher e tomar decisões mediante as situações mais inesperadas.
- Equilíbrio entre vida pessoal e profissional.
- Criação de planos para realização de seus sonhos por meio de metas claramente definidas e com passos de ação estabelecidos.
- Dinheiro utilizado de forma consciente para as contas básicas e com reservas para a prosperidade e para pequenos luxos eventuais.
- Aumento consistente do patrimônio familiar a cada declaração de Imposto de Renda.
- Acesso a alternativas de crédito cada vez mais baratas (juros menores) e aumento de benefícios decorrentes de relacionamento, como isenção de tarifas, convites para eventos e acumulação de benefícios em programas de relacionamento.
- Urgências aparecem, mas não são predominantes — são controladas e não atrapalham a rotina.
- Inconformismo com situações desagradáveis, o que impele a agir para mudar a situação.
- Desejo intenso de conquistar novos desafios.
- Paixão aflorada pelo seu emprego, pelo uso do seu tempo e pela vida.

- Sentimento de alegria aos domingos, por ter a oportunidade de começar tudo novamente.
- Conseguir ter tempo para adquirir conhecimentos que o levem a novos patamares, como curso de línguas, formação, cursos técnicos, cursos de aprimoramento pessoal.
- Sua vida tem uma clara noção de evolução, em vez de uma ação frenética.

Uma vez no Ciclo da Prosperidade, vários fatores passam a contribuir para que a probabilidade de sair dele seja diminuta. Conquistas frequentes motivam celebrações igualmente frequentes e um sentimento de autorrealização, que fortalece relacionamentos, impulsiona a carreira e nos instiga a zelar mais por nós mesmos e pela nossa família. O Ciclo da Prosperidade tem como combustível para seu crescimento os resultados gerados por ele mesmo. É uma situação muito prazerosa e construtiva, daí a intenção de compartilhar com nossos leitores os caminhos para alcançá-la.

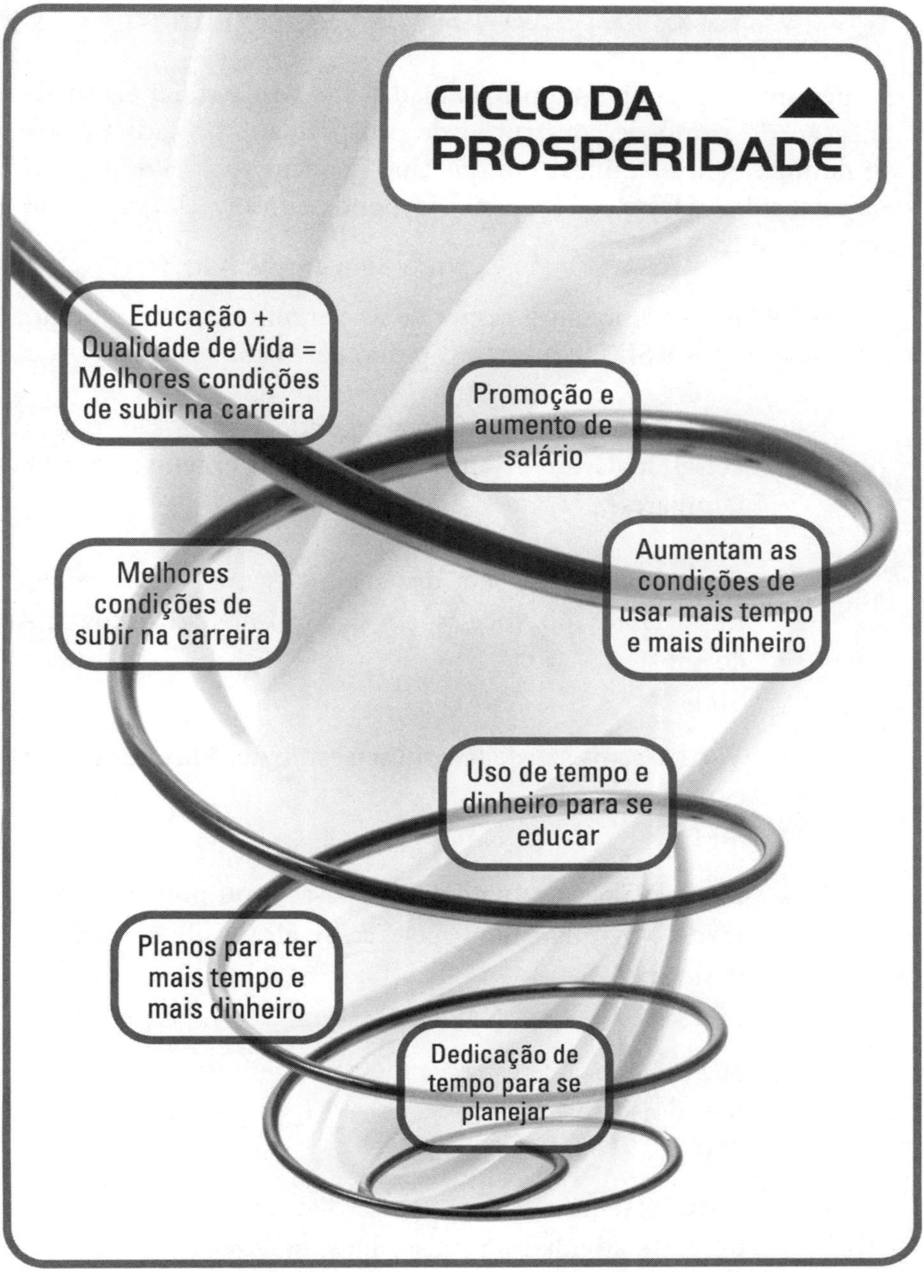
CICLO DA PROSPERIDADE
Educação + Qualidade de Vida = Melhores condições de subir na carreira
Promoção e aumento de salário
Aumentam as condições de usar mais tempo e mais dinheiro
Melhores condições de subir na carreira
Uso de tempo e dinheiro para se educar
Planos para ter mais tempo e mais dinheiro
Dedicação de tempo para se planejar

EM QUAL CICLO VOCÊ SE ENCONTRA?

As perguntas a seguir foram formuladas visando auxiliar na identificação do ritmo de construção de prosperidade de cada pessoa ou família. Para identificar em que tipo de ciclo você está vivendo e a intensidade desse ciclo, apenas responda sim ou não para cada pergunta feita.

PARTE 1 — Enquanto responde às perguntas, some 1 ponto para cada resposta SIM, e subtraia 1 ponto para cada resposta NÃO.

1. Você saberia citar, em dez segundos, quais são as três coisas mais importantes de sua vida, excetuando seus familiares?
   SIM NÃO
2. Você saberia citar, em dez segundos, três metas muito importantes que você espera alcançar nos próximos cinco anos?
   SIM NÃO
3. Você se sente satisfeito com seu estilo de vida e padrão de consumo atual?
   SIM NÃO
4. Em relação a seu patrimônio pessoal ou poupança formada, você tem uma meta a ser alcançada até o final deste ano?
   SIM NÃO
5. Sua poupança vem crescendo consistentemente nos últimos dois anos?
   SIM NÃO
6. Você se sente satisfeito com a distribuição de seu tempo entre atividades profissionais, de lazer e de convívio social e familiar?
   SIM NÃO

7. Se você ou seu companheiro morrer hoje, os dependentes estarão razoavelmente protegidos, a ponto de conseguirem se manter por pelo menos três anos?
SIM NÃO

8. Sua rotina diária — tanto de trabalho quanto pessoal — é razoavelmente organizada, sem o sentimento de estar sempre realizando tarefas urgentes?
SIM NÃO

9. Você tem facilidade em eliminar de sua rotina atividades pouco relevantes para você e que lhe tomem tempo, como frequentar reuniões e eventos indesejados e ler e-mails sem conteúdo realmente produtivo?
SIM NÃO

10. Você saberia dizer com razoável precisão quais seus compromissos e tarefas para os próximos três dias?
SIM NÃO

11. Quando cria uma lista de tarefas a serem executadas em determinado dia, você consegue realizar a contento ao menos 90% do que estava planejado?
SIM NÃO

12. Você se sente confortável ao tomar decisões extremamente relevantes em sua vida, como contratar um plano de saúde ou selecionar a escola de seu filho?
SIM NÃO

13. Você gosta de sua atividade profissional, a ponto de frequentemente sentir-se apaixonado pelo resultado daquilo que faz?
SIM NÃO

14. Suas condições de saúde podem ser consideradas ou equivalentes ou acima da média para pessoas da sua idade?
SIM NÃO

15. Você pratica exercícios físicos regulares?
SIM NÃO

16. Você consegue manter uma dieta que possa ser considerada saudável?
SIM NÃO

17. Você sabe em quanto tempo poderá se aposentar? (Caso já seja aposentado, responda SIM a essa pergunta)
SIM NÃO

18. Você está convicto de que, quando se aposentar, poderá manter seu atual padrão de vida sem depender de filhos ou da ajuda de amigos? Se já for aposentado, você tem um padrão de vida que o satisfaz?
SIM NÃO

19. Suas contas a pagar costumam estar sempre em dia?
SIM NÃO

20. Sua formação profissional e educacional são suficientes para as atividades que pretende estar desempenhando nos próximos dois anos?
SIM NÃO

TOTAL DE PONTOS DA PARTE 1:
_________ (a)

PARTE 2 — Enquanto responde às perguntas, o procedimento é o inverso do da Parte 1: some 1 ponto para cada resposta NÃO, e subtraia 1 ponto para cada resposta SIM.

21. Você costuma sentir inveja das conquistas de conhecidos, como uma promoção, um carro novo ou uma interessante viagem de férias?
SIM NÃO

22. Você se sente uma pessoa com falta de sorte?
SIM NÃO

23. Você se irrita quando um plano que lhe interessa muito não dá certo, como a necessidade de adiar férias já programadas, a ponto de descontar sua revolta em pessoas queridas?
SIM NÃO

24. É frequente o sentimento de que é insuficiente o tempo que você dedica a si mesmo, a seu relacionamento ou a seus filhos?
SIM NÃO

25. Você culpa a correria do dia a dia e do trabalho pelo fato de ainda não ter conquistado objetivos muito importantes para você?
SIM NÃO

26. Você se sente triste nas noites de domingo, ou desmotivado na segunda-feira de manhã?
SIM NÃO

27. Você apresenta sintomas frequentes de estresse?
SIM NÃO

28. Suas dívidas vêm crescendo nos últimos meses, a ponto de te preocupar?
SIM NÃO

29. Se alguma pessoa em quem você confia lhe aponta uma importante necessidade de mudança pessoal, você se sente resistente em mudar seus hábitos?
SIM NÃO

30. Quando está em casa ou em outra situação longe do trabalho, você se sente um peixe fora d'água, ansioso por não estar em atividade produtiva?
SIM NÃO

TOTAL DE PONTOS DA PARTE 2:

________ (b)

Agora some os totais de pontos obtidos na PARTE 1 e na PARTE 2.

SUA PONTUAÇÃO PESSOAL =
(a) + (b) = _______ pontos

Veja, na tabela a seguir, qual tipo de ciclo corresponde a sua situação pessoal, de acordo com o total de pontos obtidos acima.

Total de Pontos	Seu Ciclo Pessoal
De + 11 a + 30	CICLO DA PROSPERIDADE Quanto mais próximo de + 30 for seu resultado, mais intensa é sua capacidade de prosperar na vida. Não se acomode, busque a excelência, pois a recompensa vale o esforço.
De - 10 a + 10	CICLO DA SOBREVIVÊNCIA Nessa situação, você tem duas missões: administrar os aspectos de risco, para não despencar para o CICLO DA FRUSTRAÇÃO, e começar a agir para começar a dar produtividade a sua vida. Afinal, sua tendência atual é de apenas se consolidar onde está.
De - 30 a - 11	CICLO DA FRUSTRAÇÃO Quanto mais próximo de - 30 for seu resultado, maior é sua necessidade de parar tudo, se organizar e mudar as regras de seu jogo. Se não fizer isso, estará colocando em risco cada vez maior aquilo que ainda não perdeu na vida.

Para entrar no Ciclo da Prosperidade é preciso interromper a trajetória destrutiva do Ciclo da Frustração ou se desligar da letargia característica do Ciclo da Sobrevivência, reconhecendo esses processos e criando uma estratégia pessoal de mudança efetiva. Basicamente, é preciso reformular seus planos de vida, se é que você concretamente tem algum.

Nos próximos capítulos, propomos uma estratégia de mudança, com ferramentas e sugestões para que seus planos se concretizem e o ajudem a embarcar na desejada espiral do Ciclo da Prosperidade. Talvez você até já esteja neste ciclo, mas certamente está lendo este livro com o objetivo de melhorar uma situação já positiva. Por hora, precisamos da sua vontade de querer mudar seu ciclo e adotar uma nova forma de viver com seu tempo e seu dinheiro. Não importa quanto você tem, o que você faz ou de onde você vem. O que vai fazer o resultado aparecer é sua própria vontade de cumprir seu plano pessoal de mudança, que será, na verdade, uma estratégia composta por quatro etapas de fácil entendimento. Mas, antes dela, vamos entender o porquê de sua situação atual.

Não importa quanto você tem, o que você faz ou de onde você vem. O que vai fazer o resultado aparecer é sua própria vontade de cumprir seu plano pessoal de mudança.

Capítulo 3

A semente do problema

Se você se identificou vivendo o Ciclo da Sobrevivência ou o Ciclo da Frustração, obviamente não está satisfeito com sua condição e suas conquistas pessoais até então. Porém, antes de se culpar e cultivar algum tipo de remorso, é importante entender que parte de nosso insucesso ao planejar nossa vida se deve a fatores externos, e parte se deve a escolhas nossas — algumas conscientes, outras não. Explicaremos isso neste capítulo. No entanto, o fato de reagirmos a condições externas não tira de nós a responsabilidade de mudarmos nosso rumo. Afinal, é papel de cada um de nós fazer, dos limões que a vida nos dá, uma limonada.

Você pode ter mais tempo e mais dinheiro, mas primeiro é preciso que descubra qual o ciclo em que está vivendo.

Nossa relação com o tempo e o dinheiro e o ciclo que caracteriza essa relação resultam de uma conjunção de fatores históricos, culturais, educacionais e psicológicos que acontecem em nossa vida. Hábitos de nossos antepassados, crenças sociais (como "quem casa, quer casa"), limitações do modelo educacional de nossa sociedade ou mesmo da escola que frequentamos e falta de iniciativa pessoal são exemplos desses fatores que influenciam nossas escolhas.

Quanto mais conhecermos tais fatores, maiores serão nossas condições de derrubar barreiras — sejam elas sociais ou puramente psicológicas — e impulsionar nosso ciclo pessoal em um movimento crescente que forme a desejada espiral do Ciclo da Prosperidade. Não é uma questão de pura motivação, mais sim de se conscientizar, de mudar suas escolhas e de aplicar uma estratégia de forma persistente e sistemática em sua vida. Em outras palavras, é preciso criar regras e segui-las. Como acontece com qualquer nova regra que tentamos nos impor, a etapa mais difícil é a inicial, quando mudar nos causa estranheza e desconforto. Com o tempo, as regras passam a fazer parte de nossa vida e não precisamos mais nos policiar em relação a elas.

Reflita se não é assim que passamos a perder peso, nos alimentar melhor, adquirir uma rotina de estudos ou corrigir um problema de postura física. Novas regras, mais disciplina e mais perseverança criam qualquer transformação em nossa vida.

Você pode ter mais tempo e mais dinheiro, mas primeiro é preciso que descubra qual o ciclo em que está vivendo, os fatores que o colocaram nessa situação e, dependendo do caso, como inverter ou acelerar essa rotação. Seu ciclo foi identificado no capítulo anterior. Neste, expomos os fatores de influência que o induzem à situação atual. E, nos capítulos seguintes, partiremos para a estratégia que lhe proporcionará mais tempo e mais dinheiro.

Quais fatores criam e influenciam nossos ciclos?

Certamente, a lista de fatores de influência a seguir não é exaustiva, ou seja, não inclui todos os fatores que realmente nos influenciam na criação de nossos ciclos pessoais. Porém, tais fatores são os que podem ser considerados universais, presentes em qualquer cultura, a qualquer tempo e para qualquer pessoa. Fatores de influência particular, como um trauma de infância ou um prêmio ganho na loteria poderiam ser acrescidos à lista, mas isso nos obrigaria a descrever uma relação muito extensa de fatores e com aplicabilidade parcial a cada indivíduo. Preferimos nos ater aos principais, para nos centrarmos na estratégia de mudança, que é o foco deste livro.

Ao estudar os fatores a seguir, portanto, ajuste mentalmente os argumentos adotados para sua realidade, pois, de uma forma ou de outra, estamos certamente tratando das condições que permeiam a construção de seu dia a dia.

1) Vícios sociais

Bem ou mal, você carrega uma importante herança cultural com você, uma espécie de DNA social, que são os comportamentos de massa, ou hábitos e vícios típicos que distinguem a sociedade em que você vive das demais sociedades do planeta. Em uma espécie de relacionamento simbiótico, a forma de pensar, o modelo educacional, as verdades não escritas e os valores da sociedade influenciam e são influenciados por normas, instituições, empresas e regras comuns de convívio.

Por exemplo, enquanto em alguns países os políticos recebem foro privilegiado para suas acusações criminais, geralmente resultando em impunidade, em outros países políticos pegos em atitude criminosa são punidos em dobro, por praticarem delitos enquanto atuavam em nome de milhares de pessoas.

Enquanto populações de países mais ricos têm maior preocupação com o futuro e com a preservação de seu patrimônio, populações de países pobres ou em desenvolvimento procuram viver mais intensamente o presente. Basicamente, o que move essas necessidades é a diferença no *timing* da conquista: enquanto os primeiros temem perder uma riqueza que vem sendo construída há gerações pela família, os outros estão brigando pela sobrevivência e comemorando conquistas inéditas em termos de bem-estar.

Uma análise sociológica atenta das práticas familiares de diferentes países ajuda a entender boa parte do sucesso ou do insucesso dessas nações em estabelecer ciclos de prosperidade para a maioria de suas populações.

Por exemplo, os Estados Unidos tiveram reconhecidamente uma evolução econômica sem precedentes históricos entre os anos 1930 e 1990 do século passado. Sem desprezar a importância dos fatores políticos nessa evolução, é fundamental reconhecer que o grande fortalecimento econômico da economia só foi possível em razão das condições econômicas e sociais criadas no país. A estrutura hierarquizada das comunidades, reflexo do modelo religioso protestante que lá predomina, ajudou a disseminar valores e hábitos que criaram a base da grande formação de poupança e da cultura do crédito tipicamente americanos.

Durante aquele período, tornaram-se hábitos típicos da classe média alta americana a total independência (inclusive financeira) dos filhos ao saírem de casa para estudar, a intensa formação de poupança nos primeiros anos de carreira, a obsessão pela independência financeira (ilustrada por muitos autores como a busca pelo primeiro milhão), o cultivo também obsessivo por uma situação de crédito[1] que garantisse um endividamento barato, o empreendedorismo (principalmente após a aposentadoria formal), a preocupação com a previdência e a formação de reservas para a educação dos filhos. Não é exagero afirmar que o grande sonho da classe média americana foi, nesse período, chegar o quanto antes a seu primeiro milhão, sendo ele garantia de acesso a crédito farto e de concretização de um estilo de vida que se convencionou chamar de sonho americano. Tais hábitos resultaram em formação de sólidas reservas financeiras nas famílias, ingrediente fundamental para barateamento e universalização do crédito, que acabaram por tornar a classe média americana a mais endividada do mundo.

Curiosamente, foi quando os norte-americanos deixaram de dar o mesmo valor à construção de seu perfil de crédito que

---

[1] Entenda por *crédito* a percepção que as instituições financeiras têm de determinada pessoa, e que quanto mais positiva for, mais baratas, flexíveis e fartas serão suas possibilidades de tomar dinheiro emprestado para antecipar seus objetivos de consumo.

começou a se formar a bolha especulatória no mercado imobiliário, que resultou na chamada crise do *subprime* de 2008. Até os anos 1990, era clara a regra de que era preciso viver de forma simples e sacrificada por alguns anos, a fim de formar reservas, adquirir bom perfil de crédito e acessar as melhores e mais baratas linhas de crédito, que praticavam os juros de primeira linha, ou juros *prime*. A regra funcionou tão bem e gerou tamanho enriquecimento que, de repente, começou a se disseminar a ideia de que o esforço não era mais necessário. Criou-se a ilusão — disseminada até entre especialistas e gurus — de que o crescimento econômico do país era um processo tão independente e automático, que seria bobagem esperar ter acesso aos melhores juros para mudar de vida. Com a percepção de que a valorização dos imóveis (sempre decorrente de crescimento econômico) era infinita e intensa, bem superior a qualquer juro praticado na economia, as pessoas começaram a tomar empréstimos caros, antes de contarem com o bom perfil de crédito — pagando o chamado crédito *subprime* — para investir em imóveis, criando uma falsa prosperidade sustentada apenas em crenças, não em riquezas. O outrora endividamento barato lastreado por poupança foi substituído por um endividamento mais caro, sem lastro e especulativo. O resto da história todos conhecemos.

Em países em desenvolvimento, como o Brasil, o fenômeno socioeconômico que ocorre é bastante distinto do norte-americano. A educação ainda precária inibe o empreendedorismo, gerando maior dependência da população por empregos formais ou subempregos. A precariedade nos serviços de saúde e a violência resultam em menor expectativa de vida, resultando em menor preocupação com o futuro. Some-se a isso a herança de pobreza: como a maioria da população está nas classes C e D, a renda só permite o consumo básico e inviabiliza a formação de poupança. O sonho da classe média é o de conquistar sua casa própria, normalmente adquirida por meio de financiamentos longos que embutem as típicas taxas de juros elevadas de economias com pouca poupança, pois dinheiro escasso é dinheiro caro. Primeiro milhão? Só jogando na loteria — e, se ganhar, a falta de hábito com rendimentos normalmente leva o felizardo a gastar seu patrimônio e extingui-lo em poucos anos. Por não planejarem o futuro, pais passam a depender seriamente dos filhos, que, por sua vez, passam a ter seu poder de consumo limitado pela necessidade de ajudar os pais. Em geral, famílias não deixam herança ou, se deixam, é de pequeno valor e normalmente será gasta em poucos meses após a morte dos pais, para tirar um suposto atraso na qualidade de vida, que é imposto pelo necessário sustento dos pais enquanto vivos. O resultado dessa infeliz combinação: sem patrimônio, sem herança e sem poupança, o crédito é escasso; recursos escassos resultam em juros elevados, aceitos ingenuamente por uma população não esclarecida; o elevado uso da renda no pagamento de juros diminui mais ainda o poder de consumo e de poupança, fortalecendo esse ciclo.

Já nos países da comunidade europeia, costuma haver uma percepção diferente em relação à acumulação de riquezas. Por serem economias de bases mais antigas, que cultivam tradições familiares e religiosas seculares e com sistemas de amparo público muito mais eficientes do que no resto do mundo, a preocupação com o futuro é menor. Ou melhor, é extremamente enraizada a crença de que a família, a fé ou o governo farão seu papel de suporte na velhice. Além disso, a reduzida desigualdade social característica desses países diminui a ambição dos indivíduos, ou fortalece a aceitação de sua condição individual. Nessas sociedades, as pessoas costumam se destacar da massa cultural e intelectualmente, e não pelo patrimônio que ostentam. Em razão disso, a ideia de acumular riqueza para mudar de vida é pouco fomentada. Isso é algo que deveria mudar, pois, como afirmamos, é a independência financeira — e não a dependência de sistemas sociais de amparo e proteção — que nos dá liberdade para criar, ousar e empreender.

Por causa dos vícios culturais, populações inteiras costumam repetir práticas que podem até parecer pouco sensatas do ponto de vista racional, mas que são tidas como uma espécie de lei da natureza no cotidiano dessas populações. O excesso de endividamento dos brasileiros é um exemplo, diante dos juros absurdamente elevados praticados na economia. O continuísmo europeu é outro exemplo, diante do risco de não se sustentar o atual equilíbrio, em função do natural crescimento de oportunidades de experiências de consumo e gastos com qualidade de vida.

É interessante notar como, há alguns anos, o mais famoso livro de Robert Kiyosaki — *Pai rico, pai pobre* — tornou-se best-seller no mundo inteiro com uma interessante filosofia de enriquecimento, mesmo adotando como exemplo prático dessa filosofia uma receita que, segundo a maioria de seus leitores, "só funcionava nos EUA". A lógica de Kiyosaki consistia em endividar-se o quanto fosse possível, e usar os recursos captados para investir em imóveis. O que sustentava a teoria era o fato de que a valorização imobiliária média costumava ser muito superior aos juros mais altos praticados naquele país. Ao cultivar a percepção de que a receita só funcionava em determinado país, pouquíssimas pessoas foram capazes de antever que aquela filosofia estava semeando a grande bolha imobiliária que viria a estourar.

Definitivamente, as leis do enriquecimento funcionam em qualquer lugar. Se você descobrir uma oportunidade que só funciona em determinadas condições ou com limitações geográficas, desconfie. Essa oportunidade estará com os dias contados.

Em relação aos vícios da cultura em que você vive, uma vez percebida a irracionalidade de determinado comportamento empobrecedor, você deve reagir contra ele, influenciar pessoas a seu redor, acreditar em seus projetos, mesmo que não se enquadrem em modelos aceitos irracionalmente. Seja mais racional em suas escolhas, e aprofunde seus conhecimentos para poder fazer escolhas racionais e inteligentes.

2) O FATOR DAS ESCOLHAS

Pode parecer assustador, mas é verdadeiro afirmar que escolhemos ter a vida exatamente como a temos atualmente. Assustador porque é possível que você não goste da forma como as coisas têm se desenrolado no seu dia a dia, e é certo que essa talvez indesejada situação tem apenas como responsáveis você e suas escolhas.

O mais curioso nessa história é que muitas pessoas não acreditam que suas próprias escolhas geram os resultados de suas vidas e acabam culpando terceiros por não terem tempo, por não conseguirem dinheiro para comprar uma casa, por viverem cheias de urgências ou por não conseguirem se planejar. Talvez você esteja, neste momento, achando que existem certas situações que não são escolhidas por você, mas que são fruto da hierarquia corporativa, de certas condições de mercado ou de comportamento humano. Mesmo que certas circunstâncias nos sejam impostas em nossa vida, a nossa reação a esses fatos é baseada em escolhas. Isso faz toda a diferença.

GUSTAVO CERBASI

Quando iniciei minha carreira de professor de uma importante escola de negócios, vivia cotidianamente a desconfortável sensação de estar assumindo uma responsabilidade muito grande — que incluía lecionar para turmas inteiras de alunos bem mais velhos que eu — e, ao mesmo tempo, mal remunerado pela intensa demanda e pelo estresse característico da situação. Para cada quatro horas de aula, eu costumava gastar de oito a doze horas de preparação. Essa preparação costumava ser feita em uma sala de professores, onde o convívio com outros profissionais permitia sempre uma troca bastante interessante.

Aquela suposta “disponibilidade” de tempo na sala dos professores (percepção derivada do fato de eu não estar lecionando, mas apenas preparando aulas) gerava muitos convites para cobrir aulas de outros professores ou para assumir cursos novos. Surpreendentemente, para mim, nove em cada dez professores presentes costumavam recusar os convites, com o argumento de que tal curso não era sua especialidade, ou então que não tinham nenhum material preparado para aquele assunto. Sendo todos jovens professores de finanças, em uma escola de cursos de finanças, eu não entendia como alguém tinha coragem de afirmar que não estava apto a assumir uma responsabilidade.

Minha posição era um pouco diferente da dos demais. Se me dessem tempo suficiente para preparar uma aula, eu aceitaria o desafio, mesmo não sendo em minha especialidade. Cheguei a gastar mais de vinte horas — incluindo duas madrugadas inteiras — preparando um curso de quatro horas de estatística, disciplina que nunca mais ministrei depois daquela oportunidade. Meu objetivo era ocupar minha agenda de aulas, ser reconhecido como esforçado pelos meus superiores e, obviamente, ganhar mais. Com o tempo, passei a ser reconhecido como professor diferenciado, que não precisava de muito tempo para preparar aulas de qualquer assunto, e como especialista em decisões de investimentos. Sorte? Genialidade? Não; preparo e esforço são a explicação. Escolhi o caminho menos cômodo para me diferenciar de meus colegas. Foi nessa época que adotei como lema pessoal uma frase que ouvi originalmente de Anthony Robbins:

Dizem que sou um cara de sorte. Só sei que, quanto mais me esforço, mais sorte tenho!

Muitas escolhas são feitas de forma totalmente inconsciente. Nossa criação, nosso ambiente e as oportunidades que nos foram dadas, de certa forma, influenciam muito a maneira como decidimos o que fazemos hoje em dia. Talvez, na sua infância, você tenha ouvido seu pai dizer que é preciso trabalhar muito e de forma dura para se ter sucesso. Ou ouviu dizer que é preciso ser rico para ter tempo e poder aproveitar a vida. Ou que só parará de ter urgências quando se aposentar. Ou, então, que a poupança é mais segura do que investir em fundos de ações, e por aí vai.

Certas ou erradas, essas pequenas "pérolas de sabedoria" criaram princípios e valores pessoais dentro do nosso inconsciente, que influenciam nosso processo decisório e que, se não forem rompidos, não nos deixarão mudar o rumo de nosso ciclo pessoal em direção a uma espiral crescente de prosperidade. É preciso que você faça uma profunda reflexão sobre as coisas nas quais você e sua família ou amigos acreditam e que o impedem de começar a escalar a espiral da prosperidade e a adotar novos modelos.

Se é fato que muitas escolhas que fazemos se baseiam em conexões inconscientes, é fato também que, quanto mais nos conhecemos e conhecemos o mundo e suas regras, maior é nosso discernimento e lucidez para criticar decisões e comportamentos improdutivos. Para tomar uma decisão diferente da que a manada está tomando, temos de ter forte autoconfiança, a qual, por sua vez, cresce na medida em que conhecemos melhor as variáveis que interferem em nossas escolhas. A educação é, inquestionavelmente, o caminho para uma sociedade mais próspera.

Se nós, autores deste livro, somos reconhecidos como profissionais de sucesso em nossas áreas, é porque provavelmente fizemos escolhas diferentes do padrão daqueles que começaram no mesmo nível que nós, como, por exemplo, colegas de faculdade. Temos consciência de que nossos exemplos decorrem de uma forma de tomar decisões que fazem a diferença — e é isso que queremos compartilhar em nossos livros.

Nós dois, Christian e Gustavo, tivemos uma época em nossa vida em que não sabíamos o que era tempo livre, em que o estresse e a urgência eram completamente predominantes em nossos dias e nossa saúde chegou a ser afetada por isso. No caso da saúde, Christian ainda sofreu consequências piores, pois, diferentemente do Gustavo, não teve uma adolescência de intensas práticas esportivas.

Nossas escolhas estavam erradas, não achávamos que planejamento funcionasse, não víamos como nos livrar do mar de pendências, não conseguíamos lidar com os pedidos urgentes dos clientes, nos envolvíamos em diversas atividades que não traziam resultados e nosso dinheiro não nos trazia qualidade de vida. A diferença para hoje é gigante; vivemos outra vida, pois nossas escolhas são completamente diferentes. As situações são similares, não deixamos de ter clientes com urgências ou solicitações de todas as áreas, mas aprendemos a lidar com isso.

E como fazer uma escolha que mude nosso padrão atual?

Essa pergunta não tem uma única e exata resposta, pois a mudança exige abandonar vícios, e os vícios são seus. Por isso, a mudança começa em uma reflexão extremamente pessoal. O que podemos garantir é que ela começa com o questionamento:

A decisão que estou para tomar é igual, similar ou parecida com o que sempre venho fazendo?

Se a resposta for afirmativa, bingo! Provavelmente você estará perpetuando sua situação presente.

Quando seu chefe chegar e passar uma nova urgência, você pode escolher o modo padrão: "Vou aceitar e depois dou um jeito para terminar essa atividade mais tarde." Ou, então, escolher uma nova saída, como "priorizarei meu dia e, se não for possível, negociarei essa atividade, com o objetivo de conseguir sair no horário e ir para academia".

Diante da oportunidade de começar a constituir fundos para fazer uma sonhada pós-graduação na melhor escola do mundo em sua área, você também pode escolher o modo padrão: "poupar para isso valeria a pena, mas será difícil negociar com a família para incentivar o corte de gastos." Ou, então, escolher a saída que realmente o aproximará de seus objetivos, como "reunirei a família para discutir um novo estilo de vida, para que cada um de nós realize algum grande sonho nos próximos cinco anos".

Escolhas! Simples, mas não tão fáceis de praticar, pois somos induzidos a repetir o que é razoável para a maioria que nos rodeia. É preciso, portanto, dar o primeiro passo, por mais desconfortável que seja.

3) Zona de conforto

Se escolhas feitas ao longo da vida são responsáveis por colocar um indivíduo no ciclo em que ele se encontra e, muitas vezes, mantê-lo nessa situação ao longo de anos ou até décadas, a mudança de ciclo passa a ser também uma escolha que deverá ser feita. Isso requer mudar a chamada zona de conforto da pessoa, o que nem sempre é fácil.

Alasdair White, professor britânico especialista em gerenciamento de desempenho, diz que zona de conforto é um estado comportamental em que a pessoa opera em um nível neutro de ansiedade, geralmente sem senso de risco, usando um conjunto limitado de comportamentos para conseguir um nível estável de desempenho. Pretensamente melhorando essa definição, consideramos que, na zona de conforto, em vez de a ansiedade estar em nível neutro, ela está supostamente em um nível mínimo tolerável, uma vez que são raras as situações, no mundo atual, totalmente desprovidas do sentimento de ansiedade.

Zona de conforto seria, então, o lugar onde nós, seres humanos, gostamos de ficar, por pura acomodação, preguiça de tentar algo novo, medo de mudar ou falta de persistência para romper os limites de nossos padrões preestabelecidos. Zona de conforto é ficar percorrendo continuamente o mesmo ciclo pessoal, fazendo sempre as mesmas coisas com a mesma rotina, sem conseguir passar para níveis superiores na sua espiral do Ciclo da Prosperidade.

Não faltam exemplos da acomodação em zonas de conforto nos vícios e nos pequenos pecados cotidianos:

- Sabemos que a comida da rua, ou *fast-food*, não nos faz bem, mas como trocar aquela comidinha pronta por uma gororoba natureba sem gosto?
- Sabemos que estamos fora do peso e que precisamos adotar, ao menos, uma rotina de caminhadas pela manhã, mas como deixar o calorzinho da cama uma hora antes, ainda mais com a rotina estafante que temos?
- Sabemos que exageramos na comida, mas, se é para mudar hábitos alimentares, por que não deixar para fazer disso uma promessa de ano-novo?
- Meu colega de trabalho é um tremendo puxa-saco, trabalha muito além de sua função. Para que eu vou me matar afim de me equiparar a ele, se nossos salários são os mesmos?
- Ouvi dizer que outra operadora de cartão de crédito me isenta de anuidade, mas mandar a papelada para mudar o relacionamento dá um trabalho!
- Sabemos que o uso de uma agenda poderia melhorar a gestão do nosso tempo, mas preferimos nos perder e reclamar das urgências, pois mudar o jeito de fazer as coisas dá trabalho!
- Meu filho certamente sente que sou um tanto ausente no fim do dia, mas provavelmente, ele entenderá, um dia, que essa ausência se deu para garantir a ele um futuro melhor.

A zona de conforto pode também representar sucessos passados. Você fez algo no passado que deu certo e teve um resultado aceitável, e hoje replica esse "modelo", pois tem a certeza de que ele funcionará. Mas isso o bloqueia a descobrir novas estratégias, criativas e que gerem mais resultados. Sem novas ideias, sem risco e, por consequência, sem novos aprendizados e sem chance de mudar os resultados. Percebe como tudo é cíclico e gira em torno do mesmo ponto? E que o Ciclo da Sobrevivência decorre de suas escolhas e reações diante das oportunidades de mudança?

Nós amamos as coisas que nos são familiares e preferimos não nos arriscar com coisas que não conhecemos. Essa zona de conforto pessoal nos dita limites de até onde vamos e dali não passamos, mas constantemente retornamos a um nível anterior.

Muitas vezes, ao permanecermos em nossa zona de conforto, formamos em nossa vida um Ciclo da Frustração. É quando a rotina, mais do que nos manter em uma órbita estacionária em nossa vida, nos condiciona a uma condição de prejuízo contínuo, seja no aumento de peso, seja no crescimento das dívidas e outros problemas similares.

Progredir, em todos os aspectos da vida, é estar continuamente além da zona de conforto. Não é necessário estar muito além, pois isso não seria saudável para você e não é o que acontece com as pessoas que entram no Ciclo da Prosperidade. Nossa proposta é que você expanda sua zona de conforto a novos e desconhecidos limites, o que tenderá a diminuir sua sensação de segurança, mas certamente o ajudará a galgar cada vez mais intensamente seu Ciclo da Prosperidade, obtendo resultados mais agradáveis. A ideia é que a recompensa obtida proporcione prazer maior que o eventual desprazer decorrente de sua quebra de rotina ou de zona de conforto. Voltando à nossa primeira definição de zona de conforto, podemos afirmar que o bem-estar proporcionado por novas conquistas anula o sentimento de ansiedade que nos acomoda, trazendo-nos para um novo patamar de neutralização dessa ansiedade.

CHRISTIAN BARBOSA

A minha zona de conforto antiga não incluía hábitos de organização, planejamento, priorização e execução eficaz. O que eu fiz foi aumentar meus limites até alcançar esses novos padrões de comportamento, que se transformaram na minha zona de conforto atual. O que também não significa que está bom; a todo momento, preciso experimentar algo novo, ver o resultado e estudar se aumento ou mantenho meus limites.

GUSTAVO CERBASI

Buscar a independência financeira sempre foi uma preocupação para mim, inspirado nas lições que aprendi com meus pais e avós. No início de minha carreira, a necessária construção de riqueza para conquistá-la se deveu a um árduo trabalho, às vezes inspirado pela oportunidade de aprender, às vezes sacrificando noites inteiras de sono — e, com elas, minha saúde. Não sabia dizer não a uma oportunidade de trabalho, ou seja, estava em uma perigosa zona de conforto, me tornando *workaholic*. Seguindo as recomendações do Christian Barbosa, passei a priorizar minha agenda pessoal com a família e com minha saúde. No primeiro instante, passei a ganhar menos, mas, em pouco tempo, minha maior disposição e criatividade resultaram em trabalhos de maior qualidade, o que me permitiu aumentar meu preço. Minha zona de conforto atual se caracteriza por assegurar o tempo para a família, deixando de me martirizar pensando em quanto deixei de ganhar por recusar um trabalho ou quanto estou perdendo com a queda do dia na bolsa de valores.

Os padrões de zona de conforto variam para cada pessoa. Para uns, ela é muito estreita e o resultado idem, enquanto que, para outros, ela é ampla. Para ter mais tempo e mais dinheiro, é preciso aumentar nossa zona de conforto, saindo de nossos limites atuais e aceitando desconfortos temporários, típicos de momentos de adaptação. E essa expansão começa justamente por escolher fazer algo diferente, desconhecido, de persistir em uma nova realidade. Expandir sua zona de conforto significa tentar coisas como:

- Admitir que você está errado.
- Experimentar algo diferente.
- Pedir um aumento.
- Começar algo novo.
- Começar a usar uma agenda eficiente.
- Adotar hábitos de planejamento.
- Aprender a dizer não.
- Aprender sobre novos investimentos.
- Desafiar certas circunstâncias.
- Sair de um relacionamento que não gera resultados.

Para ter mais tempo e mais dinheiro, é preciso aumentar nossa zona de conforto, saindo de nossos limites atuais e aceitando desconfortos temporários.

Na Bíblia, na carta de Laudiceia, está escrito: "Seja quente ou seja frio; não seja morno, que eu te vomito." Forte, mas verdadeiro. É preferível errar e ter a consciência sobre isso, do que se omitir e ficar na sua zona de conforto, sem nunca ter tentado. É melhor fracassar, o que gera aprendizado, do que nunca ter arriscado. É melhor ter experimentado, ao vazio das experiências. Não seja morno! Não seja omisso com você mesmo. Aprenda a assumir riscos e administrá-los. No mundo dos investimentos, o melhor investidor não é o que "corre riscos", mas sim o que administra melhor seus riscos e colhe bons frutos na maioria de suas escolhas.

O que proporemos nos próximos capítulos o ajudará a expandir os limites da sua zona de conforto e a adotar novos padrões de comportamento que deram resultados a milhares de pessoas, cujas vidas foram transformadas sob orientação profissional. Se experimentar é o caminho, a persistência é o combustível para conquistar um novo padrão de vida. Você terá de se colocar à prova, resistindo à tentação de voltar aos seus velhos limites.

4) Falta de conhecimento

A quarta razão que faz as pessoas permanecerem em seu Ciclo da Sobrevivência e aumentá-lo é a falta de conhecimento de como lidar com certas situações que insistem em acontecer na nossa vida, ou mesmo a limitação de conhecimento para poder dar um passo além.

Quando não desconhecemos as possibilidades que temos, simplesmente nossas escolhas ficam limitadas e a vontade de ampliar a zona de conforto é praticamente inexistente. Isso acaba nos paralisando e, muitas vezes, nem sabemos o porquê. O pior ignorante não é aquele que não sabe ler ou escrever, mas aquele que prefere ficar na mediocridade em vez de buscar aprender aquilo que não sabe. Isso é fruto de acomodação, ou seja, de viver em uma limitante zona de conforto.

Christian Barbosa

Os maiores erros que vejo na falta de tempo na vida das pessoas é o desconhecimento de técnicas e métodos eficazes que ajudem as pessoas a mudar a forma como encaram suas prioridades. Tais técnicas costumam ser amplamente compartilhadas na mídia e nas rotinas das empresas, mas surpreendentemente negligenciadas. A falta de saber organizar seus e-mails, de saber como planejar corretamente, de saber priorizar o dia da forma correta leva pessoas a perderem tempo sem perceber.

Eu repito e afirmo que, para 95% das pessoas, a quantidade de tempo não é o problema, mas a utilização do tempo é que faz a diferença entre uma pessoa equilibrada e uma estressada. E a falta de conhecimento sobre o tema é que colabora com esse resultado, não tenha dúvida.

GUSTAVO CERBASI

O que leva as pessoas a terem sucesso em seus investimentos e/ou planejamento financeiro é muito mais a solidez de sua estratégia e seu discernimento em relação aos objetivos de acumular dinheiro do que a rentabilidade de seus ativos ou risco assumido na modalidade de investimento. Essas qualidades vencedoras dependem puramente de informação e disciplina. Levando em consideração que a disciplina pode ser adquirida por meio da automatização de nossas escolhas (aplicações programadas, planos de previdência privada e pagamento de prestações de imóveis em construção, por exemplo), a essência de uma boa estratégia de investimentos resume-se à qualidade das informações que a pessoa garimpa no dia a dia.

Não existe, enfim, investimento bom ou investimento ruim, pois em qualquer modalidade de investimento é possível identificar histórias de sucesso individual. O que existe, mesmo, são investidores preparados e outros despreparados. Os primeiros, invariavelmente, são os que ganham em cima dos erros cometidos pelos outros.

O primeiro passo para a mudança de seu ciclo pessoal no sentido de galgar a espiral ascendente do Ciclo da Prosperidade já foi dado, começando por adquirir conhecimento de como ter mais tempo e mais dinheiro. Ao ler este livro, você está desfrutando de uma imensa quantidade de informações que foram testadas em anos de experiência de profissionais renomados e suas empresas, cuja intenção com esta obra é digerir essas informações e passá-las ao leitor por meio de receitas práticas, de maneira simples e motivadora. Mais do que acreditarmos nas orientações aqui passadas, nós as aplicamos em nossa vida e na vida de nossos clientes. Vamos, então, a elas.

Mais do que acreditarmos nas orientações aqui passadas, nós as aplicamos em nossa vida e na vida de nossos clientes.

Capítulo 4

O método transformador

Uma vez apresentados os ciclos que podemos ter em nossa vida e os motivos que nos conduzem a eles, e sabendo que não podemos mudar alguns dos motivos (os decorrentes de vícios sociais), provavelmente você está se perguntando como sair dos ciclos que não trazem resultados ou como melhorar ainda mais seu Ciclo da Prosperidade.

Um fato pertinente aos ciclos é que eles são basicamente criados e fortalecidos por estratégias ou métodos operacionais que aplicamos em nossa rotina e utilizamos em nossas escolhas. Na escola, você aprendeu diversos métodos para resolver problemas e memorizar conceitos. Em sua vida, você tem um método para escovar os dentes, dirigir seu carro, conhecer novas pessoas, fazer seu trabalho, organizar sua agenda e gastar seu dinheiro, entre outros. Você pode não ter total consciência disso, mas sempre executa um método para fazer as coisas na sua vida. Alguns funcionam melhor que outros, assim como alguns são conscientes, e outros, inconscientes. Quanto mais frequentemente aplica determinado método, mais automatizado e inconsciente ele se torna.

Quando falamos sobre "método", a expressão pode soar um pouco rígida, burocrática, mecânica ou coisa de engenheiro. Tanto que pessoas consideradas metódicas — aquelas que se apegam a seus métodos — tendem a ser preconceituosamente consideradas perturbadas. Mas, na verdade, métodos são processos naturais e intrínsecos à nossa existência. É o nosso jeito de viver. Se meu método para me alimentar de manhã é espremer um suco de frutas e preparar uma omelete e o seu método, por exemplo, é comer um pão com queijo e café com leite, é difícil afirmar qual dos dois é mais eficaz para nos saciar. Talvez meu método me sustente até a hora do almoço e o seu não, mas talvez faça parte do seu método comer uma fruta fresca no meio da manhã. Um especialista, porém, pode criticar ambos os métodos. Caso eu tenha colesterol elevado ou seu organismo não metabolize bem a proteína do leite, um nutricionista pode apontar falhas graves em nossos métodos.

A boa notícia é que métodos podem ser alterados, incluídos ou excluídos de nossa vida. No entanto, para que isso ocorra, é preciso que trabalhemos para esse fim.

A palavra MÉTODO vem do grego — *methodos, met' hodos* — que significa, literalmente, caminho para chegar a um fim. Para que alguma coisa seja feita, é preciso de um roteiro, uma estrutura lógica, uma maneira de se concluir a atividade. Quanto mais consciente for seu método, maior será sua capacidade de extrair dele melhores resultados e de aperfeiçoá-lo com o passar do tempo.

Quanto mais consciente for seu método, maior será sua capacidade de extrair dele melhores resultados e de aperfeiçoá-lo com o passar do tempo.

Quando seu método não é eficaz, o resultado é retrabalho, perda ou falta de tempo, cansaço, estresse, perdas financeiras, e por aí vai. Se você não tem tempo na sua vida, vive na urgência ou está sempre atrasado, a culpa é do método que você está empregando na sua rotina. Se você está com problemas financeiros, provavelmente o método empregado na utilização do seu dinheiro não está sendo eficaz. Ter mais tempo e dinheiro não é mágica, é uma questão de aplicar o método correto no seu dia a dia.

Quando começamos a planejar este livro, tínhamos em mente o objetivo de trazer algo útil e de aplicação fácil pelo leitor. Essa ideia nos ajudou a desenhar um método sinérgico entre os assuntos de tempo e de dinheiro, para você aplicar de forma fácil e prática.

Nesse método, desenvolvemos um conjunto de quatro etapas para você conseguir planejar seu tempo e ter sustentabilidade financeira, proporcionando uma vida mais equilibrada e focada nas coisas que realmente são importantes — o que o conduziria ao Ciclo da Prosperidade. Dessa forma, buscamos estruturar uma sequência de técnicas e ferramentas que sintetizam nossas teorias de forma integrada. As quatro etapas de nosso método são:

1. Descobrir o que é importante.
2. Parar com o que não lhe traz retorno.
3. Planejar o equilíbrio.
4. Melhorar sua qualidade de consumo.

Essas quatro etapas são introduzidas a seguir e detalhadas nos capítulos seguintes.

Etapa 1 — Descubra o que é importante

A primeira etapa do método de construção do seu Ciclo da Prosperidade é descobrir o Importante em sua vida, que tem a ver com você fazer uma profunda autoanálise para entender realmente onde deseja focar seu tempo e seu dinheiro. Se você parar para perguntar, a si mesmo ou às pessoas que conhece, algo como: "O que é realmente importante em sua vida?", ficará surpreso com a quantidade de respostas vagas e subjetivas que as pessoas são capazes de dar.

Muito provavelmente você ouvirá respostas como "ser feliz", "ter paz", "quero ser rico", "ter filhos e uma família feliz", entre tantas. Não temos nada contra esses anseios, mas a verdade é que as pessoas têm uma enorme dificuldade em descobrir aquilo que realmente querem da vida, algo concreto que possa ser planejado e executado, e não simplesmente que resida no campo das pretensões.

O que significa ser feliz para você? O quanto ou o que é ser rico? O que caracteriza para você uma pessoa feliz? Quem é realmente importante? A correria em que levamos a vida coloca esses questionamentos no piloto automático e acabamos passando despercebidos pelo que é realmente importante.

CHRISTIAN BARBOSA

Sempre que posso, procuro entrevistar as pessoas que vão trabalhar diretamente comigo. Ao longo da conversa, sempre pergunto para o candidato o que é importante de fato para ele e como vê sua vida em curto, médio e longo prazos. São raras as pessoas que conseguem responder com clareza. Um fato é que os candidatos mais bem preparados sabem aquilo que querem. Uma pessoa que não tem clareza do Importante usa seu tempo com maior dedicação às coisas urgentes e circunstanciais. É um vício que muitas pessoas e empresas insistem em adotar.

GUSTAVO CERBASI

Sempre me surpreendeu o fato de receber, em nossa consultoria, casais com problemas de desequilíbrio financeiro mesmo com renda familiar elevada. Os argumentos dessas famílias diferem pouco. "Só gastamos com o essencial: casa, automóvel, escola das crianças, supermercados, plano de saúde e tratamentos. Mal sobra dinheiro para fazer uma viagem ou presentear nossa filha com uma blusinha da moda." Não sobra porque a família escolheu não fazer sobrar. Não é preciso aprofundar muito a análise para identificar que essa família vive em uma boa casa, com um bom carro e com um consumo no supermercado repleto de produtos sofisticados. Enquanto suas escolhas de consumo essencial forem feitas antes de a família definir uma verba para seu bem-estar, o problema continuará existindo.

Se você não sabe o que é importante de fato para você, tenha certeza de que alguém saberá e direcionará suas ações em benefício próprio. Quantas pessoas não têm uma vida de frustrações, à sombra das realizações pessoais e de consumo de seu parceiro? O pior problema do desconhecimento da importância é viver uma vida com o que é importante para os outros e não para você. Nesse caso, sua vida não vai correr, vai voar. Seu dinheiro vai sempre parecer insuficiente, pois suas escolhas só acontecem depois de realizadas as de quem você ama. Quando deixamos de fazer ou de consumir o Importante, temos a sensação de que falta alguma coisa, temos uma cobrança interior, uma lacuna que parece não estar preenchida. O tempo passa rápido demais, o dinheiro acaba antes da hora.

Muitas pessoas acham que essas respostas e reflexões são obtidas de acordo com a idade, maturidade ou experiência. Essa percepção é equivocada. O Importante pode e deve ser descoberto em qualquer momento da sua vida.

O maior campeão de golfe do mundo, Tiger Woods, tinha três anos de idade quando completou nove buracos no Campo de Cypress (sua cidade natal na Califórnia) com 48 tacadas. Mozart escreveu sua primeira sinfonia aos 8 anos de idade. Bill Gates fundou a Microsoft aos 19 anos. Henry Ford tinha 50 anos quando inaugurou sua primeira fábrica. Mandela tinha 71 anos quando saiu da prisão, e 75 quando se tornou presidente da África do Sul.

Ajudaremos você a se questionar e a mapear o que é realmente importante, e a entender como o uso do tempo e do dinheiro se faz mais efetivo para sua sustentabilidade pessoal. É o passo inicial e que será utilizado como base para os subsequentes.

Etapa 2 — Pare com o que não lhe traz retorno

Faça uma análise da sua agenda dos últimos 10 dias. Pense em todas as atividades que você executou e responda sinceramente: qual o percentual de atividades concluídas (em geral, na pressa) que não trouxeram resultado algum ou simplesmente foram esquecidas depois de concluídas? É o caso daquela reunião emergencial que durou três horas, muitos assuntos foram discutidos e alguns dias depois nem lembramos mais o que foi resolvido. É aquele relatório que você precisava fazer para ontem, deu trabalho e depois ficou esquecido na mesa de alguém. É aquela tarefa que você não soube dizer não e precisou carregar nas costas.

Reflita agora sobre as escolhas de investimento que você fez nos últimos dois anos. Se deixou de fazer qualquer escolha por falta de excedente de recursos, ou se fez escolhas que o fizeram perder dinheiro, você certamente está arrependido. Reflita também sobre itens que comprou e ainda não consumiu. Algum livro não lido? DVD não assistido? Roupas no armário ainda sem terem sido vestidas? Quantos canais você realmente assiste do seu pacote de TV a cabo? Comprou algum eletrodoméstico que supunha poder usar com mais frequência?

E quantas coisas que você gostaria de fazer estão acumuladas? Você tem fila de compromissos a colocar em dia, reparos a fazer em casa, decisões aguardando uma ligação sua? Há alguma decisão relevante para seu futuro sendo adiada em função de você "não ter parado para ver isso", como a contratação de um seguro, a poupança para seu filho ou seu plano de previdência privada?

Calma, todos sempre temos algo por fazer. Mas quando a quantidade de atrasos em sua vida chega a um ponto de prejudicar sua rotina e torná-lo ansioso, algo deve ser feito para mudar de vez essa realidade.

Quando você não tem clareza do Importante, acaba fazendo ou comprando coisas que não deveria, o que acaba tomando conta do seu tempo e gastando seu dinheiro desnecessariamente. Um mito que existe em nossa sociedade é o de que uma pessoa de sucesso é sempre muito cheia de afazeres, prioridades e vive ocupada. Por consequência, atribuímos que essa pessoa deve ter grandes resultados financeiros e, com isso, criamos um padrão referencial perigoso para seguir.

Ficamos feito loucos tentando replicar esse modelo porque, teoricamente, ele representa o sucesso que queremos atingir. Acabamos por lotar nossa agenda de atividades que, se parássemos para analisar, não precisariam ou nem deveriam ser executadas. Esgotamos nosso orçamento com itens de consumo pouco aproveitados, consumindo uma verba que poderia nos proporcionar mais qualidade de vida.

O custo de uma vida nesse ritmo é uma grande confusão mental de afazeres e ansiedade para administrar os compromissos a pagar. É uma loucura que nos faz perder o contato com aquilo em que deveríamos estar focados de verdade, como nossos relacionamentos, o tempo para nosso equilíbrio, uma estratégia para acumular riqueza, para fazer a empresa crescer etc.

Parar com as coisas que não dão retorno é o segundo passo da nossa estratégia, que ajudará você a separar o que realmente deve ter sua atenção das coisas que precisam ser cortadas, modificadas ou automatizadas. Quando descobrir que não precisa gastar tanto tempo nem dinheiro com certas atividades, vai se sentir muito mais aliviado, menos estressado e com mais energia.

Etapa 3 — Planeje o equilíbrio

A partir do momento em que você tem clareza sobre as coisas realmente importantes na sua vida e para de fazer as coisas que não têm retorno, você está no momento ideal para começar a planejar o equilíbrio financeiro e do seu tempo. Entenda por equilíbrio, neste momento, o uso bem distribuído desses recursos, de forma a otimizá-los em um número maior de situações de sua vida. Todos queremos ter mais tempo para nossas atividades de lazer, mas, certamente, dedicar tempo em excesso a esse tipo de atividade pode comprometer nossa dedicação ao trabalho e, consequentemente, nossa renda. Da mesma forma, poupar excessivamente pode ser tão ou mais perigoso do que gastar excessivamente. Tanto em uma quanto em outra situação, está se dando peso excessivo às necessidades presentes ou futuras em detrimento das outras.

Esse terceiro passo só passa a nos proporcionar benefícios efetivos quando os anteriores já foram executados. Caso contrário, a base para seu planejamento será construída com alicerces frágeis, que poderão se quebrar no meio do caminho ou, como muitas pessoas fazem, incluindo muitos começos, mas poucos términos de fato.

Um estudo da Triad Consulting indica que a falta de planejamento pode chegar a consumir até seis horas por semana de um profissional. Esse é o tempo médio gasto com atividades mal executadas, problemas urgentes que poderiam ser evitados, esquecimentos, retrabalho etc. É muito tempo que poderia ser economizado com a prática do planejamento.

Infelizmente, a maioria dos seres humanos não gosta muito da palavra "planejar". Acreditam que dá muito trabalho, que não funciona, que não consegue manter o planejado ou que vai gastar tempo demais. Todos esses paradigmas são mitos que pessoas transmitem a outras, por não terem sucesso em seus próprios hábitos de planejamento.

GUSTAVO CERBASI

Diferentemente do que se imagina em um primeiro momento, um bom planejamento financeiro não exige o uso diário de planilhas de controle, a aquisição de softwares contábeis ou o obcecado hábito de anotar valores gastos a cada instante. Até hoje, poucos modelos de planejamento do orçamento familiar se mostraram mais eficientes do que ter uma pastinha na gaveta para guardar comprovantes de compras e totalizá-los uma vez ao mês. Na verdade, quanto mais simples for seu planejamento, melhor, pois ele roubará menos do seu precioso tempo.

Christian Barbosa

A boa notícia é que, em gestão de tempo, é simples e gostoso planejar, mas não será do dia para a noite que vai funcionar. É preciso ter persistência e constância para ver os resultados. Eu gasto por semana, no total, aproximadamente 60 minutos para planejar tudo que preciso fazer. São 60 minutos distribuídos ao longo dos dias (30 minutos para planejar a semana e cinco minutos diários para priorização), que me poupam horas.

Você aprenderá técnicas simples e práticas para planejar seu tempo e suas finanças, entendendo os principais erros de planejamento e como evitá-los. A experiência prática mostra que tais técnicas dão resultados. Não é uma questão de acreditar, mas sim de experimentar.

Etapa 4 — Melhore sua qualidade de consumo

A qualidade que você dá a seu consumo de tempo e de dinheiro tem relação direta com o resultado das etapas anteriores do método aqui apresentado. Ao saber o que é importante, descartar o que não traz resultados e planejar-se para atingir seus objetivos, inevitavelmente você passará a limitar suas escolhas. Provavelmente, diante da necessidade de limitar, você dará maior importância à utilização de tempo e de dinheiro com atividades importantes para você, seus relacionamentos, seu equilíbrio, seu lazer etc.

A qualidade de consumo pode ser considerada o apogeu de cada ciclo de nossa vida, a colheita do que plantamos no atual momento de carreira, de relacionamentos e de saúde. Ela decorre de responsabilidade e maturidade das escolhas feitas nas etapas anteriores, repondo suas energias e motivando-o a ingressar em novos desafios. É isso que faz girar novamente o seu ciclo pessoal da prosperidade, agora em um patamar mais elevado de realizações.

Qualidade de consumo do seu tempo é literalmente aproveitar sua vida. Não como se fosse seu último dia, mas como se fosse o primeiro dia de um hábito mais positivo, eficaz e equilibrado para se viver.

De que adianta ter conquistado um melhor uso do seu tempo se você não vai aproveitá-lo com as coisas que gosta de fazer? Infelizmente, temos um paradigma errado sobre estar sem tempo pelos diversos motivos, pois descartamos atividades pessoais, aquelas que gostamos de fazer, e assumimos mais trabalho e pressão. Isso acaba sugando nossas energias e, sem percebermos, afetamos ainda mais a nossa produtividade.

Para que poupar dinheiro ou economizar, se os gastos que você deixou de fazer não forem substituídos por recompensas de consumo? Não há sentido em poupar simplesmente para sentir-se seguro. É preciso encontrar razão para essa poupança; afinal, só é possível reservar recursos para o futuro se diminuirmos nosso aproveitamento desses recursos no presente. Não importa qual é a qualidade de vida que temos; se poupamos, ela certamente é menor do que seria se desfrutássemos da totalidade dos recursos que temos hoje.

Qualidade de consumo do seu tempo é literalmente aproveitar sua vida. Não como se fosse seu último dia, mas como se fosse o primeiro dia de um hábito mais positivo, eficaz e equilibrado para se viver. É entender que esses "mimos pessoais" e "reuniões com você mesmo" vão ajudá-lo a ter muito mais tempo e alcançar a sensação de preenchimento das suas lacunas pessoais de culpa ou falta de tempo ao que é importante. Por isso, devem acontecer com frequência.

Para viabilizar essa etapa do método em seu ciclo pessoal, faremos diversas sugestões para você aumentar a qualidade de seu consumo de dinheiro e de tempo, de forma equilibrada com suas necessidades e seus relacionamentos. Nosso objetivo é ajudá-lo a aumentar ou intensificar a sua paixão pela própria vida.

A rotina estressante por falta de tempo e dinheiro pode ter feito você perder ou diminuir a paixão, aquela alegria natural do seu dia a dia, que dá a certeza de que não haverá arrependimentos ou que algo está ficando de lado. Sabemos que a vida é curta e que não pode ser vivida sem essa intensidade e esse entusiasmo que conseguimos demonstrar quando estamos alinhados com as coisas que queremos, com tempo e dinheiro para explorarmos essa paixão.

A estratégia pessoal de Christian Barbosa

Comecei minha vida profissional muito jovem, sem nenhuma formação ou treinamento de gestão ou financeiro. Tive de aprender muitas coisas na raça, errando ou tentando fugir dos conselhos do meu pai (que geralmente eram os certos). Quando estava com quase 19 anos, minha empresa de tecnologia cresceu, atendíamos grandes clientes, muitos projetos simultâneos, poucos concorrentes. Foi o momento em que comecei a ganhar dinheiro de verdade, realizei muito rápido minhas metas financeiras. Mas nesse momento trabalhava demais, de segunda a domingo, todos os dias. O estresse tomou conta da minha vida, ficava muito doente, tive seriíssimos problemas de saúde. Eu não tinha a menor ideia do que era qualidade de vida, tinha dinheiro, mas não tinha tempo para aproveitar. Nessa época também descobri que ia ser pai e ia casar (exatamente nessa ordem). Nesse período, minha secretária me matriculou em um curso de administração de tempo, o que naquela época eu achava uma completa idiotice. No primeiro curso que fiz, eu gostei do assunto e meu "espírito nerd" literalmente me viciou no assunto. Acabei me tornando instrutor e consultor de diversas consultorias internacionais sobre esse tema.

Alguns anos depois, a internet sofreu o estouro da sua primeira bolha e diversas empresas, incluindo a maioria dos meus clientes, quebraram. Minha empresa passou de estrela de resultados da internet para um poço de dívidas. Essa foi a época em que tinha tempo, mas não tinha dinheiro. Foi difícil recomeçar do zero e cheio de dívidas, mas com um pouco de persistência acabou dando certo. Nessa época, aplicando os conceitos de administração de tempo que ensinava e que adaptei a minha vida, estava mais equilibrado, mas foi uma época de sacrifícios.

Nessa época, comecei a desenvolver, com base na minha própria necessidade de vida, o que seria alguns anos à frente a metodologia de produtividade Triad. Foi o momento em que parei para definir o que era realmente importante na minha vida e tracei três objetivos bem definidos. O planejamento fazia parte do meu dia a dia. No começo, eu utilizava agendas tradicionais, depois *planners*, mas sentia falta de um software com essa finalidade. Com minha rotina orientada ao que era Importante e às Metas, eu comecei a me tornar mais produtivo, pelo simples fato de conseguir focar nas coisas que me traziam resultados e deixar de lado o que não me agregava valor. Aprendi a dizer não.

Com o lançamento do meu primeiro livro, em 2004, que trazia novos conceitos para o tema, o crescimento foi bem rápido. O software se tornou um sucesso mundial, milhões de cópias foram distribuídas gratuitamente na época. A demanda pelo assunto começou a crescer, comecei a focar exclusivamente no tema da produtividade. Cheguei em casa e tive uma grande e séria conversa com a minha esposa, dizendo que ia vender a empresa. Ela ficou com medo, pois não acreditava que uma empresa especializada em produtividade pudesse dar certo. Vendi minha empresa e abri a Triad, que começou comigo, um vendedor que era meu irmão e uma pessoa no desenvolvimento.

Minha estratégia desde o começo foi criar uma empresa que não fosse baseada no Christian, ou chegaria a um ponto em que minha agenda seria um limitador da empresa, mas que fosse baseada em soluções que poderiam ser fornecidas por consultores capacitados. Nesse tempo desenvolvi uma série de pesquisas, estudos, consultorias, treinamentos beta e novos produtos; foi a época em que me envolvi totalmente na empresa, mas uma média controlada de 10h/dia e sem incluir sábados e domingos. A Triad cresceu, ganhamos credibilidade no mercado nacional, nos tornamos referência no assunto. Começamos a ter uma demanda de clientes fora do país e acabei expandindo a empresa para outros países. Hoje temos uma equipe global com mais de 30 consultores que ministram nossos treinamentos, consultoria e implantações customizadas.

Eu sou o CEO da Triad, atuo no desenvolvimento de novos produtos, expansão, atendimento a grandes clientes, treinamentos e consultoria para presidência e alta direção das empresas. Faço palestras no Brasil e no exterior e sempre que posso levo comigo as pessoas importantes. Em 2007, fiz um evento na Disney e depois aproveitei duas semanas com toda a família, e anualmente fazemos uma grande viagem. Além da Triad, tenho uma *holding* que investe em empresas de tecnologia *start-up*, uma empresa de web marketing e uma agência de propaganda.

Para manter o equilíbrio, vivo o que ensino, planejo sempre meu mês e minha semana, uso o Neotriad, vivo com meu smartphone, dedico no mínimo dois dias úteis por mês para atividades pessoais, costumo levar meus filhos à escola, e os fins de semana são dedicados à família. Leio muito no meu Kindle (leitor digital de livros), ando de skate, faço inglês sempre para manter a fluência, leio todos os dias uns 20 blogs, e escrevo com frequência no meu blog.

Amo trabalhar, sou um *worklover*, transformei meu hobby em profissão, só me aposento quando morrer. Ganho dinheiro fazendo o que gosto, mas sempre equilibrando com base nas coisas realmente importantes.

A estratégia pessoal de Gustavo Cerbasi

No começo, não foi fácil. Minha rotina era trabalhar muito e ganhar pouco, como é a da grande maioria das pessoas mundo afora. Como nunca fui empregado com carteira assinada, tive de aprender a conviver com altos e baixos na renda, para poder suportar os meses de renda baixa com as reservas criadas nos bons meses. Um mês ruim, no início de minha carreira de professor e consultor, resultava em uma renda de apenas 10% da obtida em bons meses. Era preciso muito planejamento para não se perder com os compromissos financeiros.

Com isso, não podia me dar ao luxo de recusar trabalhos. Um bom mês de trabalho se traduzia em noites em claro, cargas de trabalho de até 100 horas por semana, falta de tempo para as refeições, fins de semana comprometidos com o trabalho e longe das pessoas que eu amava. Amigos e família aprenderam a não contar comigo nas atividades sociais. Começava a fazer dinheiro, mas o uso de meu tempo era completamente desequilibrado. No entanto, jamais me distanciei da ideia fixa de que aquele sacrifício seria por tempo determinado, tempo suficiente para poder fazer escolhas. Até então, não tinha escolha. Começava aí meu projeto pessoal para conquistar minha independência financeira, visando reduzir gradualmente minha dedicação ao trabalho, até chegar a um patamar prazeroso de dedicação de tempo — minha meta inicial era conduzir esse projeto dos 26 aos 41 anos, com muito afinco ao trabalho durante esse período.

Empenho e dedicação geram reconhecimento, e a carreira começou a deslanchar. Preparar aulas foi ficando cada vez menos necessário, pois o trabalho já estava feito. Cada curso novo exigia apenas uma breve checagem e atualização de materiais. A agenda passou a ser totalmente preenchida por trabalho remunerado, e a renda cresceu muito, permitindo fazer reservas financeiras generosas. Houve meses em que cheguei a poupar 85% de minha renda, entre outros motivos porque simplesmente não dava tempo de gastá-la. A independência financeira começou a ficar cada vez mais próxima.

Foi no ponto em que me senti seguro em relação à minha independência, tendo concluído precocemente mais de 70% de meu projeto, que passei a aplicar o método aqui apresentado. Comecei a conversar mais com a Adriana, minha esposa, sobre nossos sonhos, sobre o que estava ruim em nossa vida e que precisava ser melhorado. Lecionar em pós-graduação era interessante, mas levar educação financeira a quem não podia custear um curso era mais ainda. Decidi escrever um livro, mesmo sendo duramente criticado por essa decisão entre meus colegas de academia. Comecei a estabelecer, juntamente com a Adriana, metas para nossas conquistas pessoais. Passei a recusar trabalhos nos fins de semana e em datas importantes para nós (aniversário de namoro, de casamento, de nossos pais e filhos etc.), limitei a agenda de trabalho a quatro dias por semana e elevei o preço do meu trabalho. Passei também a dedicar especial atenção à mídia, oferecendo artigos para jornais e revistas e concedendo entrevistas a todos os veículos que me solicitassem. Virei fonte e referência da imprensa.

A vida passou a ser mais prazerosa, com mais tempo para nós. Passei a estudar assuntos menos relacionados com minha carreira até então, como sociologia, psicologia e relações humanas. Também passei a ler mais sobre assuntos não relacionados ao trabalho, como romances e novelas — há três anos, leio uma média de 30 livros por ano, cerca de um terço deles apenas por lazer. Com isso, os trabalhos começaram a ficar mais criativos. Aumentou a demanda por meu trabalho e por novos livros, aumentei mais meu preço, passei a participar de eventos cada vez mais importantes e a viabilizar viagens em família por todo o Brasil, conciliando trabalho e lazer. Infelizmente, tive de passar a dizer não para muitas oportunidades de trabalho. Obviamente, eliminei 95% das coisas que não gosto de fazer — os outros 5% eu faço apenas por respeito aos que me ajudaram a consolidar a carreira.

Hoje, ganho mais dinheiro, tenho mais dias livres por semana, deixo de trabalhar três meses por ano e o resultado de meu trabalho se multiplica em um ritmo muito maior do que em qualquer outro momento da minha vida. O número de entrevistas que concedo por dia é de cerca de um terço do que concedia há um ano. Sim, trabalho nas madrugadas, mas somente porque esse é o melhor horário do dia para quem escreve textos. Quando não viajo, costumo dedicar vários dias de uma semana somente a assuntos particulares — acompanhamentos médicos, visitas à escola de meu filho, administração das fontes de renda passivas (direitos autorais, comissões e participações em resultados de projetos de terceiros), participações em eventos para investidores e organização de nossas atividades filantrópicas.

Não bastasse o delicioso equilíbrio que temos — Adriana e eu — em nosso uso de tempo, nossa independência financeira ainda nos permite desfrutar de um consumo sem restrições. Compramos o imóvel de nossos sonhos, o carro que melhor nos atende e costumamos fazer as viagens que queremos. Nossa meta, como casal, é de ter, ao menos, uma lua de mel por ano.

Poderia parar de trabalhar? Talvez, se isso fosse necessário. Mas, como trabalho naquilo que amo, simplesmente cultivo uma vontade muito grande de continuar me dedicando à transformação da vida das pessoas. É dessa paixão que nasceu, por exemplo, este livro.

Capítulo 5

Descubra o que é importante para você

São raras as pessoas que conseguem definir com clareza aquilo que é realmente importante em sua vida, e mais raras ainda aquelas que conseguem priorizar o que definem como mais importante. Isso explica o fato de serem minoria aquelas que vivem em um Ciclo de Prosperidade. Nosso ritmo de vida atual acaba nos colocando em uma frenética existência, cheia de correria, urgências e coisas que nos distanciam de nosso verdadeiro propósito. Ficamos sem tempo e sem dinheiro para pensar nas coisas realmente importantes e vivê-las.

Maslow, um dos pioneiros no estudo do potencial humano, criou o conceito da "hierarquia das necessidades", enumerando as necessidades humanas em uma pirâmide de prioridades. Em sua teoria, ele afirma que se você está muito ocupado com a sobrevivência básica como comida, abrigo, segurança e saúde, as necessidades superiores, como autorrealização e equilíbrio, passam a ser menos prementes, e provavelmente acabam ficando de lado do seu foco.

Como estamos preocupados demais em vender o almoço para comprar o jantar, não conseguimos parar e pensar nas coisas que realmente gostaríamos de fazer. É como se nossa bússola interna, que decide o nosso caminho, estivesse sem campo gravitacional e, por consequência, sem função.

Descobrir o Importante significa dar um norte para sua vida, sair da roda viva do Ciclo da Sobrevivência e começar a trilhar um caminho de prosperidade. Significa entender o que realmente você quer fazer, o que deseja conquistar, com no que gostaria de investir seu tempo, quem deve ir junto nesse seu caminho, entender e viver pelas coisas que o realizam e trazem equilíbrio. Você deve estar se perguntando: "Mas é isso que eu venho buscando a vida toda, porém minha renda é simplesmente insuficiente para atender a esse tipo de vontade!"

É altamente provável que quem pense assim tenha feito escolhas muito ruins em sua vida. Se o dinheiro não sobra, é porque você o consome todo. Se consome tudo, é porque fez escolhas de consumo. Suas escolhas, portanto, foram equivocadas, e ponto. No dia em que escolher viver melhor, talvez passe a usar uma retórica um pouco diferente: "Puxa, estou vivendo uma vida tão prazerosa que não está sobrando tempo e dinheiro para gastar com coisas que eu não faça questão de ter em minha vida...". Estranho? Pois é exatamente esse tipo de argumento que queremos incluir em sua vida ao incitá-lo a refletir sobre o que é importante para você.

Descobrir o Importante significa dar um norte para sua vida, sair da roda viva do ciclo da sobrevivência e começar a trilhar um caminho de prosperidade.

Nós não pretendemos fornecer respostas prontas para você. Elas não existem, pois é sensato supor que cada pessoa — somente ela — sabe ou tem condições de saber aquilo que lhe é importante. Só precisa das perguntas certas para trazer essas verdades individuais de dentro para fora e começar a colocá-las em prática.

É bem provável que, no meio dessa descoberta, você tenha de fazer mudanças, quebrar rotinas, paradigmas. Atrapalhar a rotina atual é uma expressão que traduz bem isso, mas é um mal necessário. É impressionante a facilidade que temos para nos esforçar em "mudar o nosso mundo", mas é proporcionalmente inversa a capacidade de "mudar a si mesmo". O problema começa por reconhecer erros, coisa que raros seres humanos têm facilidade de fazer. Ninguém disse, porém, que esse processo de transformação seria fácil. O que podemos assegurar é que é possível para qualquer pessoa, algumas com maior sacrifício, outras com menor. Mas, a experiência mostra que a partir do momento em que você decidir começar, sentirá que ficará mais fácil a cada novo passo.

Cada pessoa "somente ela" sabe ou tem condições de saber aquilo que lhe é importante.

Infelizmente, muitas pessoas só param para descobrir o Importante quando encaram uma situação trágica de frente, como um acidente, um assalto, um problema sério de saúde ou quando a morte parece ser encarada de frente. Nossa mensagem é clara: você não precisa esperar nada desagradável acontecer para dar valor ao Importante. Comece neste instante, seguindo a leitura, pronto para agir construtivamente em sua vida.

O que é realmente importante para você?

Pergunte-se e procure responder imediatamente às seguintes questões. Se preferir, tenha em mãos um caderno ou uma folha para anotar as respostas e guardá-las para reflexões ao final da leitura deste livro:

- O que realmente faz sentido em sua vida?
- Por que você trabalha?
- O que quer conquistar ao longo de sua carreira?
- Como você gostaria que sua família estivesse daqui a dez anos?
- Como você imagina que estará sua saúde daqui a dez anos?
- Que bem de valor você ambiciona adquirir nos próximos meses?
- O que você faria se tivesse mais tempo livre?

Perguntas fáceis de serem respondidas e que lhe dão uma noção inicial do que é importante para você. Porém, as respostas obtidas não traduzem exatamente o seu Importante, pois são perguntas superficiais e com indução a reflexões otimistas. Que bom seria se a vida fosse tão fácil, sem obstáculos, bastando sonhar e esperar que nossos sonhos acontecessem, não é mesmo?

Antes que você se iluda, vamos a perguntas mais objetivas, cujas respostas começarão a lhe estimular a reflexão adequada sobre o que é realmente importante para você:

- O que um amigo diria de você se você morresse hoje?
- O que um inimigo diria de você se você morresse hoje?
- Como você sobreviveria se algo muito forte o impedisse de trabalhar daqui para frente e não pudesse mais contar com rendimentos de seu trabalho?
- O que seria de sua vida se, hoje, uma decisão judicial lhe tomasse todos os seus bens?
- Como ficaria o padrão de vida de sua família se você morresse hoje?
- O que você e sua família fariam se descobrissem que você foi acometido por uma doença grave e possui apenas um ano de vida?
- E se a descoberta da pergunta anterior fosse a respeito de uma pessoa que você muito ama, como um filho ou seu pai?
- No dia em que você estiver muito velho e incapacitado, quem estará a seu lado?
- Se, um dia, você precisar que alguém o defenda de uma grave e injusta acusação, quem comparecerá para arguir sobre seu caráter?
- Se seu namoro ou casamento acabar hoje, o que muda em sua vida?

Desculpamo-nos pelo tom às vezes dramático de algumas perguntas, mas essas são as questões que deveríamos nos fazer de tempos em tempos para nos prepararmos melhor para os riscos de nossa vida. Nunca desejamos nada de ruim para nossos clientes e leitores; pelo contrário, nosso desejo é que o ruim, acontecendo, não se torne um desastre na vida dos que amamos.

Provavelmente, agora você deve estar mais próximo de entender o que é realmente importante. Muitas pessoas acreditam que o Importante é apenas concretizar uma meta: comprar um apartamento, realizar um curso, conquistar uma posição etc. Mas, quando alcançam um objetivo desse tipo, descobrem que era apenas "um apartamento, um curso, um cargo etc.". Coisas que conquistamos e que passam, ficam no passado de nossa vida apenas como lembranças.

Importante não é uma lista de tarefas a ser executada; é a jornada, o alinhamento de coisas mais profundas que você carrega ao longo do caminho, seu legado. Tempo e dinheiro não são o fim, mas sim o meio para alcançar seus objetivos pessoais. A clareza de saber as coisas realmente importantes é que faz a diferença, pois lhe permite manter o foco naquilo que o motiva, facilitando a substituição de prioridades em sua vida.

Saber o que é importante lhe dá poder para decidir, escolher, atingir objetivos, tira o medo, ajuda a sair da inércia. As razões sempre vêm primeiro, e as respostas depois. Se não há razão, o porquê, algo a buscar, não funcionará. Sua busca por mais tempo e dinheiro se resumirá a uma coleção de espaços livres na agenda e de números na conta corrente.

Para se manter sempre na rota que o aproxima daquilo que é importante para você, é fundamental que você se questione a cada decisão: "Por que estou fazendo isso? Qual o propósito?" Ou, em cada situação de consumo: "Por que eu quero isso? Qual a utilidade que tirarei dessa aquisição?"

Quanto mais você souber o que é realmente importante e buscar esse importante, mais as coisas vão fluir. A sensação que você terá é que, aparentemente, uma "sorte natural" começará a aparecer na sua vida, mas, na verdade, é apenas a clareza em funcionamento para guiar suas escolhas e suas ações. Nosso cérebro é uma espécie de software do nosso corpo: quando ele está bem programado e suas funções ajustadas, dará resultados; caso contrário, haverá *bugs* e você precisará ajustá-lo a todo momento, reduzindo sua velocidade.

Pessoas que dão resultados e têm tempo e dinheiro sabem responder o que é importante de verdade nas suas diversas dimensões. Para facilitar, podemos agrupar as diversas fontes de importância pessoal em três grandes pilares — pessoas, equilíbrio e propósito.

1) PESSOAS

Vivemos nosso tempo com base nas diversas funções sociais ou papéis que herdamos ou criamos ao longo de nossa existência. Você tem diversos papéis como amigo, profissional, estudante, irmão, pai, filho, esposa etc. Seu tempo e seu dinheiro são utilizados por meio desses diversos papéis que você exerce na vida.

Não existe um equilíbrio correto para esses papéis. Ter X% de tempo dividido igualmente entre todos é pura ilusão. No caso, o que buscamos é o "desequilíbrio positivo". O princípio é simples: você provavelmente tem a maior parte do seu tempo dedicada ao papel profissional, durante a maior parte da sua vida. Isso é normal, é a natureza humana. A partir desse princípio, o que precisamos fazer é equilibrar o tempo restante com os outros papéis de forma a torná-los presentes e relevantes. Na próxima etapa do método, que consiste em parar com o que não lhe traz retorno, veremos como fazer isso em detalhes, por meio das ferramentas de planejamento.

A verdadeira sensação de mau uso do tempo acontece quando deixamos de lado papéis importantes. O ser humano é perito em dar valor somente quando está próximo de perder. É nesse momento que ele começa a reavaliar o quanto o casamento é importante, o quanto o tempo com os filhos é gratificante, o quanto o lazer pessoal o ajuda a relaxar. Nós podemos ter o tempo que quisermos, se soubermos dar valor, na hora certa, às coisas importantes.

Pense um pouco sobre seus papéis. Faça uma lista dos principais papéis que você desempenha. Vamos utilizar essa lista em nossa etapa de planejamento. Pense na forma como gostaria de distribuir seu tempo (de forma plausível e realista) entre esses papéis. Escreva essa informação e guarde com você. Iremos utilizá-la oportunamente.

Papel	Porcentagem do tempo ideal de dedicação

Já fez sua lista? Não seja negligente com você mesmo! Se continuar seguindo as estratégias que vem usando, o resultado não mudará muito, por isso você deve experimentar uma estratégia diferente. Quando concluir esse passo, continue a leitura.

Agora que sua lista de papéis está pronta, quais estão sendo negligenciados ou deixados de lado devido à falta de tempo? O que poderia ser feito nos próximos 15 dias para melhorar esses papéis? Por exemplo, se você está negligenciando seu papel de amigo, não seria possível agendar nesta semana um *happy hour* com quem deve estar sentindo-o distante? Se seu papel de mãe está ficando de lado, será que não daria para reservar o domingo para levar sua filha ao cinema ou ao parque? Pense no que pode ser feito de concreto nos próximos dias, anote aqui e na sua agenda. Para que você o cumpra, ligue agora e marque um compromisso com a pessoa.

2) Equilíbrio

Quando pensamos em papéis, temos uma incrível tendência a deixar de lado o papel mais importante de nossa vida: EU LTDA. O tempo e o dinheiro empregados com você mesmo. Um paradigma errado das pessoas sem tempo é que, normalmente, quando precisam atender a urgências iminentes, cancelam o tempo dedicado a coisas que gostam de fazer ou que as equilibram emocionalmente, como um passeio no shopping, um cinema, um lanche com os amigos, o salão de beleza, o exercício diário etc.

Esse pequeno equívoco acaba custando ainda mais perda de tempo, sem a pessoa perceber. Quando você está atolado de compromissos, o seu nível de estresse aumenta, sua energia é consumida muito mais rapidamente, seu poder de concentração e foco diminuem e, por consequência, as atividades demoram mais para serem executadas ou nem são finalizadas devido ao seu estado de cansaço. Se, em vez de descartar o que o equilibra, você fizer essas pequenas atividades, voltará restabelecido às demais, com mais foco, mais energia e, por consequência, com maior produtividade.

É preciso entender que administrar seu tempo não é uma questão apenas de tempo, mas sim de energia, da forma como usamos nosso "fogo interior" para realizar as atividades do dia.

É preciso entender que administrar seu tempo não é uma questão apenas de tempo, mas sim de energia.

Quando trato de equilíbrio, que é basicamente o papel EU LTDA, estou falando de um agrupamento de quatro corpos: físico, mental, emocional e espiritual. Essas quatro áreas compreendem a forma como uma pessoa mantém ou perde seu equilíbrio. Uma coisa está diretamente relacionada à outra.

Pessoas que aprendem a usar bem o seu tempo descobrem que coisas importantes se interrelacionam e, por isso, tentam relacionar papéis a seu equilíbrio pessoal.

> Maxwell é um executivo da área de Tecnologia da Informação que tinha uma agenda bastante complicada e desequilibrada. Uma das estratégias que o ajudaram a reencontrar seu equilíbrio foi voltar a jogar bola com os amigos, religiosamente, às sextas-feiras. Desta forma, ele trabalha o seu equilíbrio nas quatro áreas, trabalha o papel de amigo e ainda o de marido,

> pois leva a esposa, que encontra também suas amigas, e depois sempre saem para jantar. Esse tipo de "agendamento" só acontece quando você sente e descobre o Importante para você e o coloca em prática da forma mais sinérgica possível.

O que você pode fazer para equilibrar seus papéis? Faça hoje. Não deixe para depois. Uma das formas que recomendo é que você agende, formalmente, uma reunião com você mesmo na sua agenda. Você arruma tempo para todo mundo na agenda, que tal arrumar um tempo para si mesmo? Comece com uma reunião curta, breve, coloque em uma sexta-feira, por exemplo, saia e faço algo exclusivamente por você. Experimente! Veja o resultado.

3) Propósito — Missão Pessoal

Nos últimos anos, com o crescimento de profissionais de *coaching*, o conceito de missão pessoal começou a popularizar entre os profissionais. Uma missão pessoal ajuda basicamente a fazer as escolhas certas, ela define, expõe e ajuda a clarear o nosso propósito de vida, aquilo que queremos ser em vez de apenas ter.

Uma missão não é um objetivo que se alcança, é uma filosofia, é nosso fogo interior que nos orienta e define o nosso modo de agir e decidir. A convergência dos seus papéis, do seu equilíbrio, das suas crenças, dos seus valores, dos seus pontos fortes, das suas expectativas formam a sua missão pessoal.

As perguntas no início deste capítulo, quando respondidas, ajudam a definir o que é a sua missão pessoal. Caso não tenha feito, escreva as respostas às perguntas iniciais deste capítulo; depois, pensando sobre as respostas, complete a frase: "A missão da minha vida é..."

Essa missão pode ser um parágrafo, um texto, uma poesia, uma frase. Não importa o formato, mas sim o quanto esse conteúdo ajuda você a encontrar as coisas que realmente motivam a sua vida e o fazem persistir, ter vontade de mudar e manter seus objetivos à vista.

Eu não tinha ideia do poder da missão pessoal, mas quando escrevi minha primeira missão em 1999, eu não tinha entendido muito bem, mas basicamente era: "*Viver para realizar meus sonhos e ajudar pessoas a terem mais equilíbrio para realizar seus objetivos também, tendo Deus como meu guia nessa jornada.*" Pelos vários caminhos que andei, de uma forma ou de outra, mesmo sem pensar em nada de Triad naquela época, acabei guiando meus passos de forma natural para uma vida que hoje me ajuda a realizar essa missão.

Para, pense, reflita sobre as coisas mais profundas da sua vida e escreva sua missão. Essa descoberta, de uma forma ou de outra, vai ajudar você nas suas escolhas, nos seus caminhos e nos seus resultados. Por mais que você não acredite nisso, mas sua essência o levará até lá.

POR QUE VOCÊ NÃO TEM TEMPO?

Com base nos princípios apresentados anteriormente, fica uma pergunta importante a se fazer: por que vivemos o tempo todo ocupados e não temos tempo? Não é difícil responder. O mundo moderno transformou o estresse e a correria corporativa em algo "chique", "elegante", que todo profissional competente precisa ter. Mas, é uma grande mentira da comédia corporativa que muitas pessoas vivem. Você não deveria estar ocupado o tempo todo. A empresa não deveria ter tantas urgências nem prioridades. A sua rotina deveria ter muito mais coisas importantes do que urgentes; caso contrário, você sempre terá a sensação de que não tem tempo para nada.

Se você quer realmente ter mais tempo, é preciso entender como vem utilizando-o no dia a dia. Conforme já afirmamos, muita gente prioriza as coisas erradas por não ter a verdadeira clareza do que realmente é importante.

A Tríade do Tempo, método específico para gestão do tempo desenvolvido por mim, Christian Barbosa, é uma nova forma de visualizar o uso do seu tempo, que vai contra alguns conceitos estabelecidos há décadas sobre o tema. Ela divide em três esferas todas as atividades que você faz: Importância, Urgência e Circunstância.

A definição de Importante, pela Tríade, é algo que tem prazo para ser feito, ou seja, que vai trazer resultados em curto, médio ou longo prazos. São atividades que estão conectadas à sua missão de vida pessoal, aos seus papéis e sempre resultam em benefícios para você em todos os aspectos.

Urgência são todas as atividades para as quais o prazo terminou ou está curto e precisam ser feitas imediatamente. São as que, em geral, trazem estresse ou pressão. Podem até ter resultados, mas será um resultado estressante, pressionado e corrido.

Circunstâncias são todas as atividades que desperdiçam seu tempo, que você faz sem total vontade ou devido à pressão de outras pessoas. São as feitas em excesso e que não trazem resultado algum.

A principal diferença da Tríade para outros conceitos é que a esfera da Urgência e da Importância não se misturam. Não existe nada importante e urgente simultaneamente. Isso é um grande engano. Pense desta forma: se você precisa levar seu carro para consertar um barulhinho, é algo importante. Se esse barulho cresceu e impede seu carro de andar, ir ao mecânico se tornou algo extremamente urgente. Separando as esferas, fica muito mais claro identificar como você gasta seu tempo.

Sugiro que você acesse o site www.triadedotempo.com.br, realize o teste da Tríade do Tempo e identifique no gráfico como utiliza seu tempo. O foco deve ser mantido na esfera da Importância, esta deve sempre ser maior do que as outras, reduzindo as Urgências e eliminando as Circunstâncias. Sabendo como você usa seu tempo atualmente, o fundamental é decidir como gostaria de utilizá-lo futuramente. E isso exigirá de você uma visão de algo importante e planejamento para correr atrás desse objetivo.

Característica	Importante	Urgente	Circunstancial
Tempo	Há tempo para execução (horas, dias, semanas).	Não há tempo, precisa ser feito agora.	Independe.
Resultados	Sempre existem resultados na vida pessoal e/ou profissional.	Em alguns casos existe resultado, mas sempre de forma estressante para sair.	Não há resultados de nenhum tipo.
Prazer	Há prazer, satisfação, relevância na execução.	Há um falso "prazer" na conclusão, mas durante a execução é estressante.	Não há prazer, o sentimento é de desperdício, raiva, inutilidade.
Previsibilidade	Atividades importantes são totalmente previsíveis quando há planejamento.	30% das urgências são totalmente imprevisíveis (acidentes, clientes etc). 70% são coisas que um dia foram importantes, mas foram negligenciadas.	Algumas são bem previsíveis e outras simplesmente acontecem por certas situações sociais e por não sabermos dizer não.
Exemplos	Reuniões importantes, investir corretamente, tempo com relacionamentos importantes, lazer etc.	Reunião de última hora, problema com cliente, acidentes, problemas de saúde etc.	Leitura de correntes por e-mail (*spam*); alguns compromissos sociais "obrigatórios"; TV em excesso etc.

O segredo está em aprimorar sua capacidade de planejar e de tirar da sua cabeça a tendência a ser multitarefa. Respondendo à pergunta que nomeia esse tópico, você não tem tempo porque vive com a agenda cheia de coisas urgentes e circunstanciais. Quando o Importante estiver em pelo menos 65% da sua agenda, você terá a sensação de que o tempo está colaborando com sua evolução.

Quanto custa o seu Importante?

Uma vez identificado O QUE é importante para você, sua necessidade passa a ser identificar o COMO priorizar suas escolhas. A maior disponibilidade de tempo para a família, amigos, companheiro, cuidados com o corpo e férias, entre outros, resulta em demandas diferentes sobre seu dinheiro. Obviamente, uma pessoa sem tempo para si mesma e para seu Importante acaba gastando menos com roupas informais, com *happy hours* e atividades de lazer.

Se você decidir praticar um esporte, passará a gastar com equipamentos esportivos. Se passar a sair mais com seus amigos, terá de aumentar a seção de roupas descontraídas de seu guarda-roupa. Se voltar a adotar uma rotina romântica com seu companheiro, gastará mais com caprichos e simbolismos. Se adotar a regra de garantir uma viagem de férias a cada seis meses, assumirá a rotina de arcar com pacotes de viagem frequentes. Uma vida melhor custa mais caro, sem dúvida.

Por isso, após identificar seu Importante, o próximo passo é quantificá-lo: quanto lhe custará por mês uma vida mais dedicada ao que realmente lhe interessa? A resposta a essa pergunta também é bastante pessoal, pois dependerá de seu estilo de vida, do de seus conhecidos, de sua criatividade, do tempo que tem pela frente (caso precise poupar para atingir seus objetivos) e da região em que você vive. Mas, de qualquer forma, dificilmente você conseguirá colocar em prática alguma mudança em sua vida sem ter nenhum impacto em seu bolso. Por esse mesmo motivo, é inevitável que aconteçam substituições de consumo. Você terá de deixar de consumir algo, decisão que será abordada no próximo capítulo, que trata de parar com o que não lhe traz retorno.

Dando foco ao Importante: viabilizando metas pessoais

Como seres humanos, estamos em uma constante busca por diversos objetivos, sejam eles físicos, financeiros, espirituais ou emocionais. O que pode garantir que você se mantenha alinhado com seu Importante é o processo de definição de objetivos que adota para sua vida como um todo. É um exemplo bem-sucedido de processo de definições de objetivos que pretendemos apresentar aqui, de forma racional, para que você possa replicar em sua rotina de escolhas diárias.

1) Estabeleça claramente suas metas pessoais, preferencialmente por escrito

Ao estabelecer metas, indiretamente você estará criando um mapa para atingir resultados, pois passará a conhecer a diferença entre onde você está e aonde pretende chegar. Metas fazem com que nosso tempo esteja focado nas coisas realmente importantes, nos ajudam a motivar e alinhar nossas ações e, principalmente, fazem nosso Ciclo da Prosperidade girar em velocidade crescente. Cada meta alcançada tende a nos motivar mais para superarmos os obstáculos em direção às demais metas, alimentando nossa capacidade de focar no que queremos.

Pessoas sem objetivos ficam perdidas e desorientadas. Ao serem questionadas sobre o que gostariam de ter ou de fazer nos próximos dez anos da sua vida, elas respondem que não sabem. Ainda retrucam que ninguém poderá dar a certeza de que estarão vivas amanhã, quanto mais em dez anos. É exatamente nesse contexto que as pessoas erram no seu planejamento pessoal.

2) Evite tratar suas metas como se fossem algo distante e adiável. Seja ousado em seus prazos

Muita gente se engana ao acreditar que o tempo mais importante da vida é o presente. Em gestão de tempo e finanças, o tempo mais importante da vida é o Presente+Futuro. Os dois juntos, de forma inseparável, como um único tempo. O passado já foi, aprenda com ele. O presente por si só é ação frenética, sem evolução. E futuro apenas é sonhar sem executar. Presente unido ao futuro é agir com base no que você gostaria de realizar amanhã. É evolução. É dar sentido ao tempo e sair do lugar comum.

Um bom planejamento financeiro, por exemplo, não deveria se constituir de poupar o máximo possível da renda, pois essa estratégia pode ser traduzida como um excesso de zelo pelo futuro e um desprezo pelo presente. Um bom planejamento financeiro constitui-se por gastar bem nosso dinheiro presente e poupar o mínimo necessário para assegurar que nosso bom padrão de consumo não falte em nenhum momento da vida. Um bom planejamento, portanto, traduz-se em ter uma vida presente rica e contar com a certeza de que essa riqueza não faltará amanhã. É Presente+Futuro!

Não basta, porém, saber o que você quer, pois existirão diversos caminhos para atingir seus objetivos, alguns mais eficientes do que outros.

3) Estude suas metas para identificar formas eficientes de alcançá-las

Pouco importa se seu objetivo é comprar uma televisão nova no fim do ano ou se é chegar à aposentadoria com uma reserva financeira de R$ 1 milhão. O processo que o conduzirá ao sucesso é o mesmo, só mudam os valores e os prazos envolvidos. Obviamente, quanto maior a magnitude de sua meta, maior também será seu sentimento de realização pessoal ao conquistá-la.

O mais importante é lembrar, como afirmamos, que existem vários caminhos para atingir seus objetivos. O mais curto deles tende a ser investir seu dinheiro com eficiência e disciplina, para adquirir seu sonho de consumo em um prazo não muito longo e com preço reduzido, pois dinheiro em sua mão significa contar com um poder de barganha impraticável por aqueles que recorrem a financiamentos e parcelamentos.

Não é preciso ter conhecimentos profundos de matemática financeira e da lógica dos investimentos para fazer planos. A maioria dos livros de finanças pessoais apresenta tabelas que o ajudam a refletir sobre as consequências da acumulação, sempre mais vantajosas para quem se antecipa — isto é, conta com mais tempo pela frente — e para quem se dedica no sentido de obter rendimentos mais eficientes em seus investimentos. A tabela que apresentamos abaixo é uma das mais interessantes, pelo fato de sua utilização ser extremamente versátil.

TABELA DA ACUMULAÇÃO DE R$ 1.000 COM RECEBIMENTO DE JUROS

Prazo em anos / Taxa de juros /mês	1	2	3	4	5	10	15	20	25	30
0,30%	81,97	40,25	26,35	19,40	15,24	6,94	4,20	2,85	2,06	1,55
0,35%	81,74	40,01	26,11	19,17	15,01	6,72	4,00	2,67	1,89	1,39
0,40%	81,52	39,78	25,88	18,94	14,78	6,51	3,80	2,49	1,73	1,25
0,45%	81,29	39,55	25,65	18,71	14,56	6,30	3,62	2,32	1,58	1,12
0,50%	81,07	39,32	25,42	18,49	14,33	6,10	3,44	2,16	1,44	1,00
0,55%	80,84	39,09	25,19	18,26	14,11	5,91	3,27	2,01	1,31	0,89
0,60%	80,62	38,86	24,97	18,04	13,90	5,71	3,10	1,87	1,20	0,79
0,65%	80,40	38,64	24,74	17,82	13,68	5,53	2,94	1,74	1,09	0,70
0,70%	80,17	38,41	24,52	17,60	13,47	3,35	2,79	1,62	0,98	0,62
0,75%	79,95	38,18	24,30	17,39	13,26	5,17	2,64	1,50	0,89	0,55
0,80%	79,73	37,96	24,08	17,17	13,05	4,99	2,50	1,39	0,81	0,48
0,85%	79,51	37,74	23,86	16,96	12,85	4,83	2,37	1,28	0,73	0,42
0,90%	79,29	37,52	23,64	16,75	12,64	4,66	2,24	1,19	0,66	0,37
0,95%	79,07	37,29	23,43	16,54	12,44	4,50	2,12	1,10	0,59	0,33
1,00%	78,85	37,07	23,21	16,33	12,24	4,35	2,00	1,01	0,53	0,29

A tabela anterior apresenta o esforço financeiro de poupança que deve ser feito mensalmente, dada a rentabilidade obtida em seu investimento, visando formar uma reserva financeira de R$ 1.000. Para valores diferentes, basta trabalhar com múltiplos. Suponhamos que você queira economizar durante cinco anos para viabilizar uma viagem que custe R$ 10 mil. A rentabilidade que você consegue (após descontar o Imposto de Renda) é de 0,65% ao mês. Pela tabela, conforme assinalado na confluência entre a rentabilidade de 0,65% e o prazo de cinco anos, você teria que poupar R$ 13,68 por mês em sua aplicação para formar R$ 1.000 ao final desse período. Como seu objetivo é de dez vezes este valor, terá que poupar dez vezes mais, ou seja, R$ 136,80 por mês. Caso queira adiar a viagem para daqui a dez anos, o valor mensal cai para R$ 55,30, conforme se observa pelo valor imediatamente à direita na tabela. Também fica evidente que prazos mais longos facilitam a conquista de metas.[1]

Recomendamos que, para metas com prazo superior a cinco anos, suas contas sejam feitas levando em consideração a inflação. Em termos de cálculos, isso aumenta bastante a complexidade das contas. Mas, como a ideia aqui é simplificar e usar tabelas, sugerimos um atalho simples: em vez de considerar apenas o desconto do Imposto de Renda na rentabilidade de seus investimentos, desconte também a inflação média mensal. Por exemplo, se seu investimento rende mesmo 0,65% ao mês como no exemplo, e a inflação média no país é de 0,25% ao mês, você deverá considerar como rentabilidade real de seu investimento apenas 0,4%. Isso certamente impõe prazos maiores a seus projetos, mas esse ajuste permite que você faça estimativas razoáveis e compatíveis com o longo prazo. Por exemplo, ao utilizar esse critério para simular o prazo para você formar uma reserva de R$ 1 milhão para sua aposentadoria, você poderá contar, ao final do prazo escolhido, com o equivalente a R$ 1 milhão atuais,

---

[1] Para simulações específicas, utilize a Simulação de Poupança, disponível gratuitamente para download no site www.maisdinheiro.com.br/simuladores/

corrigidos pela inflação. O número final será, portanto, efetivamente maior do que o simulado.

Você não acredita que pode se tornar milionário em 30 anos? Que será possível encontrar um saldo de sete dígitos em sua conta investimento ao abrir seu Internet Banking dentro de alguns anos? Quem resiste a acreditar nisso é porque não fez as contas e não acredita que é possível adquirirmos disciplina para conquistar nossos objetivos. Pela tabela apresentada, é preciso poupar R$ 1.000 mensais durante 30 anos para chegar a esse objetivo. Bastante dinheiro, mas essa conta leva em consideração que o investidor é extremamente conservador, construindo sua riqueza com rendimentos de 0,5% ao mês.

4) Dedique-se a seu projeto, aperfeiçoando-o ao longo do tempo

Alguém com um projeto de 30 anos de prazo que se dedicar minimamente, aproveitando, de tempos em tempos, oportunidades interessantes de investimento, como as que ficam evidentes durante crises (ações baratas, imóveis baratos, leilões de bens), não precisa assumir níveis elevados de risco para melhorar o desempenho de seu investimento.

Pela mesma tabela que apresentamos, a mesma poupança de R$ 1 milhão que é conquistada com R$ 1.000 mensais aplicados com ganhos de 0,5% ao mês pode ser alcançada com R$ 480 mensais aplicados com ganhos médios de 0,8% ao mês. Ou, com R$ 330 mensais em um rendimento médio de 0,95% ao mês. Você sabe quanto custa por dia para ter uma poupança de R$ 1 milhão? Muito pouco, levando em consideração o grande bem-estar proporcionado. Quem conseguir economizar R$ 11 por dia para viabilizar a poupança, atingirá o objetivo se estiver atento ao desempenho de seus investimentos. Quem não tiver este “amanhã” em mente, caso sobre R$ 11 na carteira, desperdiçará esse valor com coisas desnecessárias.

Podemos fazer a mesma relação entre o tempo e as metas. Se você não sabe o que vai querer amanhã, acaba gastando seu tempo na esfera do circunstancial ou do urgente. Agora, quem sabe exatsamente o que quer e onde quer chegar, distribui em seu tempo atividades para conquistar esse objetivo.

5) Policie-se, cultivando a disciplina e a motivação pessoal

O contraponto daqueles que sabem exatamente o que querem são as pessoas peritas em iniciar coisas, mas que quase nunca terminam nada. Começam a academia e param alguns meses depois, iniciam o regime e param no meio, começam a escrever um livro e não terminam, engatam um romance e perdem o ritmo, abrem uma empresa e fecham antes mesmo de dar tempo para que dê certo, entre outros exemplos.

A vida fica assim com muitos começos e poucos términos, como um corredor que nunca alcança a chegada. A razão para isso acontecer vem das mais diversas origens. Muitos culpam a falta de tempo, a perda de interesse, a dificuldade de levar adiante, as mudanças de planos ou o simples fato de desistirem. Existem as mais variadas desculpas para isso acontecer, mas fundamentalmente, elas se resumem a uma tríade de fatores: falta de relevância, falta de foco e autossabotagem.

Falta de relevância. Se começamos algo que não é importante de fato, que não tem uma real importância, mais cedo ou mais tarde desistiremos. Às vezes, pela urgência do momento, acabamos prometendo coisas, mas que sem uma relevância perderão completamente o sentido com o tempo. Encontre sentido para as coisas que começar. Isso se faz com coração e não apenas com a razão! Quando começar algo, pense na relevância além do objetivo: você não está fazendo um curso de inglês, você está garantindo a viagem dos seus sonhos! Você não está de regime, está em busca de saúde, de um namoro ou da vida! Você não está na faculdade, você está garantindo sua realização profissional!

Se não houver relevância, nem perca seu tempo, pare antes de começar! Depois que a relevância for descoberta, vem a necessidade de focar. Quem quer muitas coisas ao mesmo tempo acaba tendo dificuldades de executá-las.

Falta de foco. Você pode ter diversas metas, mas selecione as mais relevantes, as que estão no topo de seu ranking de importância, para focar semanalmente. Quem quer tudo, pode ter tudo, desde que foque em apenas uma coisa por vez. Sem um foco definido, os resultados demoram a aparecer, você acaba se desmotivando e deixando mais uma conclusão para depois. Estudos demonstram que a maioria das pessoas não consegue ter resultados se focarem em mais de duas metas por semana. Com o foco definido, fica fácil criar um plano de ação, marcos parciais de controle e indicativos de progresso. É muito mais simples planejar poucas coisas do que uma diversidade de objetivos. A falta de foco nos dá preguiça, achamos outra coisa mais interessante, ficamos sem saber por onde começar. Foque nos seus términos e não em seus começos!

Autossabotagem. Este é um dos fatores mais comuns para impedir a conclusão de seus projetos pessoais. Muitas pessoas começam a lutar por seus objetivos, mas, no meio do caminho, acabam autossabotando a execução. Imagine que você tem uma meta de ter R$ 1 milhão de reais na sua conta em 20 anos. No meio do caminho, você começa a gastar mais do que deveria, ignorando suas metas pessoais de consumo, e nunca consegue se aproximar da quantia almejada. Este é um grande exemplo de autossabotagem, e as pessoas o fazem, muitas vezes, sem perceber. Descubra o que pode estar sabotando você, aprenda a lidar com esses obstáculos, visualize diariamente o seu objetivo realizado e os benefícios que ele lhe trará!

COMO DEFINIR E PLANEJAR SEUS OBJETIVOS?

Definir metas é uma ciência. Para que aconteçam de verdade, precisam da técnica correta. Não adianta achar que aquilo que você pensa a todo momento é uma meta, porque não é. Ela até pode acontecer de tanto que fica na sua cabeça, mas podemos garantir que o sucesso planejado é mais frequente do que o sucesso ocasional.

Leve em consideração os itens abaixo para escrever seus objetivos — escrever, sim, pois você não consegue planejar nem gerenciar aquilo que não consegue ver:

1) Período

Quando pensar em objetivos, foque em três períodos de tempo: curto (de um a três anos), médio (de três a cinco anos) e longo prazo (acima de cinco anos). Em gestão de tempo, algumas pessoas têm uma facilidade maior de focar no curto prazo, conseguem definir bons planos de ação para algumas semanas ou meses adiante e conseguem ter bom nível de precisão nas suas definições. Outras têm enorme dificuldade em ver os planos dessa forma, mas conseguem visualizar seus sonhos com extrema clareza para dez, quinze ou vinte anos à frente.

Não importa qual seja o seu estilo, não existe certo ou errado, apenas formas diferentes de funcionamento pessoal. O importante é que esses períodos estejam presentes, pois um alimenta o outro. O sonho de curto prazo, quando conquistado, nos motiva e ajuda a construir o de longo prazo. A segurança de ter um de longo prazo nos traz maior autoconfiança, melhorando nosso foco para atingir objetivos de curto prazo.

Atente para não confundir os prazos para alcançar suas metas com os prazos que costumam ser associados às características de seus investimentos. Muito se diz que investimentos em renda variável, como ações, são para obter resultados de longo prazo. Nossa caracterização de longo prazo — acima de cinco anos — até pode ser considerada uma boa referência para direcionar recursos para essa modalidade de investimento, mas nossa sugestão é que você entenda longo prazo como *tempo suficiente*. Se você junta dinheiro para viajar assim que acumular R$ 5 mil, você está dando tempo suficiente, pois não tem data para viajar. Se você vai estudar no exterior daqui a quatro anos, não pode se dar ao luxo de esperar a recuperação de mercados em crise — prefira, então, investimentos mais conservadores.

Um bom exercício para começar a visualizar suas metas é pensar em um período intermediário, algo como sete anos em seu futuro. Você poderia pensar em algumas perguntas como:

- Quanto conseguirei acumular de patrimônio pessoal?
- Quanto terei em investimentos dos quais possa obter renda?
- O que terei realizado de importante para minha vida?
- Quais das coisas que me equilibram que conseguirei conquistar?

Escreva as ideias que vierem. Quanto mais detalhes e precisão, melhor. Tente responder às perguntas com clareza sobre sua meta: O que eu quero especificamente? Quanto (tempo ou dinheiro) significa ter isso?

2) Relevância

Já abordamos sobre o perfil de muitos começos e poucos términos, e da importância de definir o que você quer de verdade. Aqui vale o reforço. Se não tiver um porquê, nem comece. É perder tempo e dinheiro à toa.

Quando você começa a definir metas, precisará assumir o papel de "questionamento pessoal", um advogado do diabo com relação àquilo que você realmente quer. Pergunte o porquê em tudo: Por que eu quero isso? Por que estou fazendo isso? Qual o propósito? Por que isso vai me realizar? Quais benefícios reais isso vai me trazer?

As razões vêm primeiro, as metas depois. Se você não achar um motivo muito relevante para seu objetivo, nem comece.

3) Plano de ação

A partir do momento em que você conseguiu escrever e clarificar o que quer e sabe exatamente o porquê de se dedicar ao seu objetivo, é o momento de traçar o que chamamos de plano de ação.

Os itens anteriores são mais fáceis de praticar, mas muitas pessoas têm preguiça na hora de transformar metas em execução. Isso só se faz por meio de atividades: tarefas e compromissos que precisam ser colocados em sua agenda.

Ninguém realiza sonhos da noite para o dia. Uma meta é alcançada por uma sequência de ações previamente planejadas e priorizadas ao longo dos dias, talvez semanas ou meses. Pense no que você quer e desmembre em pequenas atividades, crie uma grande lista para começar.

Quando sua lista estiver pronta, comece uma avaliação crítica: atividades não podem ser grandes nem genéricas. Por exemplo, "juntar dinheiro" é uma atividade genérica e grande, não leva à ação, mas sim a uma contemplação procrastinadora, ou seja, você vai enrolar, vai deixar para depois. O correto seria uma atividade, por exemplo, uma vez por mês, em um dia específico, como "Aplicar R$ 150 na Conta Investimento XPTO no dia 10/07/09". Isso é ação. Isso é sair do lugar.

Para que sua meta comece a ser construída, seu plano de ação deverá conter o máximo de atividades que conseguir definir, preferencialmente de curta duração (por exemplo, de até 3 horas de duração) e com datas e responsáveis, sempre que possível. Você pode fazer isso em uma simples planilha no Excel ou em um sistema *online* como o Neotriad.

Um exemplo bem simples do que estamos sugerindo nesse passo é o planejamento de uma viagem. Imagine que, após definir o lugar, você tenha que planejar esse objetivo. Alguns exemplos de atividades bem específicas seriam:

- Pesquisar no Google hotéis na região e eleger os 5 melhores para cotação — 2 horas.
- Enviar e-mails solicitando cotação de hospedagem para os 5 melhores hotéis selecionados — 1 hora.
- Pesquisar voos e opções de preços para translado — 1 hora.
- Fazer reserva no hotel e no voo — 1 hora.

Muita atenção nesse passo. A maioria das pessoas não consegue sair do lugar porque simplesmente não tem a habilidade em desenvolver esses passos de execução.

LISTA DE DESEJOS EM FAMÍLIA

Quando começamos a pensar em metas, o processo torna-se muito gratificante e ainda mais relevante se envolvemos nossos diversos papéis nesse processo. Convide sua família para falar e discutir esse assunto. Escrevam metas familiares e criem um plano de ação conjunto. Envolvam os filhos, as pessoas que fazem parte do sonho. Desligue um pouco a televisão e faça uma reunião importante que nunca deveria ser adiada, a de definição do Importante familiar. Seria interessante se a família tivesse uma data anual para discutir isso (que tal entre o Natal e *Réveillon*?), para que os sonhos fossem continuamente recalibrados, substituídos e acompanhados.

GUSTAVO CERBASI

Em 2005, uma capa de revista tornou-me conhecido pelo fato de eu ter conquistado meu primeiro milhão de reais. Talvez o assunto tivesse merecido capa mais pelo simbolismo do número, porque aquela bela reserva financeira ainda não garantia a independência financeira de uma família vivendo na cara cidade de São Paulo.
Alguns meses depois, minha independência financeira era conquistada, e eu me deparei com uma situação interessante. Se, até então, eu trabalhava intensamente para conquistar minha independência, quais seriam minhas ambições após conquistar esse objetivo? Certamente, não seriam ambições financeiras, porque nunca fomos — Adriana e eu, minha aliada nas decisões de vida — gananciosos ou apaixonados por luxo, grifes e *status* material.

Corríamos o sério risco de ver nossa vida e carreira caírem em um vazio? Não, pois sentíamos que ainda havia sonhos a serem realizados. Muitos sonhos. Foi desse sentimento que surgiu uma ideia, a princípio considerada estúpida, mas que depois se mostrou uma das ferramentas mais poderosas de incentivo ao crescimento do nosso ciclo da prosperidade. Em uma conversa descontraída entre amigos, surgiu a ideia de criarmos uma lista de coisas que gostaríamos de fazer nos próximos anos, baseada em um blog que disseminou a mesma ideia pela internet.

Para sermos precisos, decidimos experimentar criar uma lista de 100 sonhos ou objetivos que gostaríamos de realizar em cinco anos. O centésimo seria criar uma lista de outros 100 sonhos, para os cinco anos seguintes. Parecia fácil. Começamos a escrever a quatro mãos e, por volta do trigésimo objetivo, as ideias saíam com muito sacrifício. Foi depois de três meses que a lista foi concluída, contendo tanto objetivos ambiciosos quanto banais para a percepção de terceiros. Entre eles, estavam:

- Visitar todos os estados brasileiros.
- Pilotar no circuito de Interlagos.
- Ultrapassar 1 milhão de livros vendidos.
- Comprar um carro bom para viagens longas, com capacidade para sete passageiros.
- Comer um *filé à parmegiana* na cidade de Itu, São Paulo.
- Passar uma semana inteira na casa de praia de meus pais.
- Ler 100 livros.
- Assistir a 50 filmes.

- Doar mil brinquedos.
- Assistir a uma tradicional festa de São João no nordeste brasileiro.
- Visitar cinco países diferentes.

Dois anos após iniciar essa lista, enquanto escrevo este livro, mais de 40% dos objetivos tinham sido conquistados. Minha lista de 100 objetivos para os cinco anos seguintes está com 66 itens. E, curiosamente, as metas que pareciam mais improváveis de serem conquistadas são as que estão acontecendo primeiro. Foco é a palavra-chave para essas conquistas. Nossa vida virou uma espécie de gincana, em que a cada duas ou três semanas somos contemplados com um prêmio. Não nos falta motivação e razões para pequenas e grandes celebrações.

Se você duvida do potencial dessa estratégia, experimente ao menos iniciá-la. Não a abandone antes de ter uma lista de 25 objetivos pessoais que você gostaria de realizar. Coloque as ideias nesta lista, e faça um *brainstorm* familiar conjunto para tornar viáveis os objetivos. Se preferir e para facilitar seu planejamento, experimente estipular datas para executá-las, e crie um somatório de pontos para indicar a evolução de seus objetivos, conferindo um ponto para cada meta conquistada. Você se sentirá uma criança novamente, e não há motivos para se arrepender disso.

Capítulo 6

Pare com o que não lhe traz retorno

Uma vez identificado o que é importante para você, torna-se mais fácil identificar também o que tem pouca ou nenhuma importância para sua vida, que não traz nenhum tipo de retorno e apenas consome tempo, dinheiro e energia. Não que você deva dedicar seu tempo e dinheiro apenas ao que é Importante, pois isso o induziria a uma vida egoísta. O objetivo é predominar seus recursos tempo e dinheiro nas atividades e gastos que realmente contribuam para o crescimento de seu ciclo da prosperidade, exercitando continuamente a redução de gastos e de uso de agenda com aquilo que pouco lhe agrega.

Com o que leu até agora, muito provavelmente você começou a refletir sobre itens que pode deixar de consumir e coisas que faz e que simplesmente poderia parar de fazer sem nenhum tipo de prejuízo para a sua vida pessoal e profissional. Atividades que faz em excesso ou coisas que poderia transformar a forma de execução. Este capítulo vai trabalhar essa temática em profundidade. Pretendemos levantar poeira para você pensar o que pode deixar de fazer e o consumo que pode ser descartado ou diminuído.

Ao longo da leitura deste capítulo, sugerimos que você crie uma lista chamada "*Coisas que preciso e vou parar de fazer*", na qual você listará tudo que toma seu tempo e dinheiro à toa. Será uma relação consideravelmente extensa, acredite.

POR QUE USAMOS MAL NOSSO TEMPO E DINHEIRO?

Boa parte dos problemas de gestão de tempo pessoal reside na constante insistência de nos mantermos ocupados a todo o momento, lotando nosso dia de coisas para fazer, achando que isso nos levará a ter grandes resultados "devido ao volume de coisas". Mas, na verdade, não saímos do lugar. Apenas criamos um ciclo da sobrevivência extremamente intenso e estressante, consumindo nossa saúde e nos conduzindo a um futuro ciclo da frustração.

Com a tecnologia ao acesso de um clique, essa situação fica pior, já que, quando não temos nada para fazer, inventamos coisas. Procuramos atividades que lotam nosso tempo e tiram o foco do importante. Que atire a primeira pedra quem nunca, durante o horário de trabalho, abriu seu Orkut, depois o site de notícias, quem sabe depois passou no Twitter, para contar uma novidade, e acabou no Messenger com um amigo.

Algumas pessoas ainda têm o hábito de trabalhar com o e-mail constantemente aberto, o que significa que, a cada nova mensagem que aparecer na tela, elas serão interrompidas, pois, automaticamente, irão parar tudo que estão fazendo para ler o e-mail. Se for algo "interessante", farão o que o e-mail pediu, para depois voltar ao que estavam fazendo, mas já sem se lembrarem direito o que era. Reparou como nosso tempo é mal usado? A boa notícia é que isso tem solução e fácil, como veremos adiante.

Em relação ao mau uso do dinheiro, a armadilha consiste em estar com dinheiro na carteira, ou então na conta e você armado com um cartão de débito. Rotina estressante é mais do que desculpa para você deixar de lado um controle pessoal e mergulhar nas compensações do mundo moderno: cafezinhos, chocolatinhos, a roupa que você merece, a balada a que todos vão, massagens, um presente fora de hora para o filho (para "compensar" sua ausência), o buquê de flores *delivery* que custa dez vezes mais do que se fosse comprado ao lado do cemitério. Muitos gastos são importantes sim para aliviar o estresse, que é causado pela falta de planejamento pessoal. Por isso, muitos gastos supostamente importantes para melhorar sua vida seriam evitáveis com uma rotina mais equilibrada e boas escolhas.

Não é fácil, porém, identificar o que não nos traz retorno, pois, a todo instante, somos bombardeados por mensagens, sinais, campanhas e costumes que nos induzem à futilidade e ao mau uso de nossa agenda e de nosso orçamento, a gastar com aquilo que não queremos realmente. Provavelmente, você reconhecerá várias das seguintes frases no arquivo de *Mensagens Recebidas* de seu cérebro:

"Essa roupa caiu como uma luva em você; está superelegante!"

"Seria muito interessante que você estivesse presente nessa reunião."

"Muito prazer. O(A) Sr.(a) teria uns minutinhos para eu explicar o motivo de meu contato?"

"Em alguns meses, a tecnologia que você tem em seu aparelho nem estará mais em uso."

"Cadastre-se para passar a receber nosso boletim mensal gratuito e concorrer a prêmios."

"Fulano o convidou para fazer parte da comunidade dele no dáblio-dáblio-dáblio."

"O desempenho desse que você experimentou nem se compara com o do outro."

"Um amigo que cuida do meu dinheiro tem uma estratégia que rendeu 20% no mês passado."

"Por favor, informe aqui seu e-mail para constar em nosso cadastro."

"Se eu fosse você, levaria esse aqui."

"O canal que seus filhos querem só faz parte do pacote *premium*, com 250 canais."

"Preencha a pesquisa a seguir e receba um presente."

Para identificar os ladrões de tempo e devoradores de dinheiro antes de eles atacarem, será preciso perspicácia e experiência. Esse será o passo inicial da etapa de nosso método que consiste em parar com o que não lhe traz resultados. A experiência lhe será presenteada pela vida, não há como aprendê-la em livros ou em simuladores. No entanto, o conhecimento melhora sua capacidade de reflexão e aumenta sua perspicácia — é com ele que contribuímos ao publicar este livro.

Trata-se, aqui, de lidar melhor com um dos fatores que definem o tipo de ciclo em que vivemos: nossa zona de conforto para as mais diversas situações cotidianas. Muitas vezes, o motivo do nosso desperdício de tempo e de dinheiro não é o convencimento astuto e com argumentos, mas sim nossa simples preguiça ou desconforto ao responder de uma maneira que não nos seria natural. Não recusamos uma compra para não deixar a impressão de que damos importância ao preço, e não à grife. Não interrompemos um pedinte que nos conta uma história triste, para não parecermos indelicados. Não nos negamos a seguir uma sugestão do chefe para não denotarmos má vontade para o que ele considera importante. Não questionamos uma cláusula contratual que não entendemos para não parecermos ignorantes.

Para identificar os ladrões de tempo e devoradores de dinheiro antes de eles atacarem, será preciso perspicácia e experiência.

São fragilidades pessoais que engessam nossas decisões e, pior, que são muito bem exploradas por vendedores e atendentes profissionais. Para mudar nossa realidade de desperdício, precisamos agir de uma maneira diferente, pouco natural para nossos instintos, saindo da zona de conforto e aprendendo a driblar as ofertas inconvenientes que nos são feitas.

APRENDA A PRIORIZAR

Afirmamos no Capítulo 5 que, se há uma grande diferença entre as pessoas que têm tempo para si e as que vivem na correria, e entre as pessoas que conseguem poupar e as que não saem do vermelho, essa diferença está em saber priorizar. O mundo nos dá milhões de oportunidades de consumo e de atividades. Não dá para ter tudo, e não dá para fazer tudo. Se o pouco que você fizer atender à maior parte de suas necessidades de realização pessoal, você não se sentirá uma vítima do relógio. Se seu orçamento lhe trouxer qualidade de vida, bem-estar e segurança, você não terá de recorrer emergencialmente a recursos de terceiros. Como já afirmamos, a situação em que você se encontra hoje, seu ciclo de vida, nasceu de suas escolhas.

Uma teoria estatística amplamente utilizada nas diversas áreas de administração, que prova que a maioria das coisas que fazemos não nos traz muito retorno, é a Lei de Pareto, desenvolvida por Vilfredo Pareto, um economista italiano do século XIX. Em 1897, após um estudo sobre distribuição de renda, Pareto constatou que grande concentração da riqueza (80%) estava nas mãos de uma pequena parcela da população (20%). A mesma constatação foi obtida após realizar estudos semelhantes em incontáveis áreas do conhecimento, transformando-se em lei estatística. A Lei de Pareto define que, para muitos fenômenos, 80% das consequências advêm de 20% das causas.

Na prática, podemos sugerir que 80% de todo resultado que você obtém na semana vem de 20% do tempo gasto nesse período. Em uma empresa, podemos observar que, em muitos casos, 80% da receita está relacionada a um grupo de 20% de clientes. Para quem faz dieta, 80% dos quilos extras que você ganhou são resultado de 20% da sua alimentação (em geral os brigadeiros, sorvetes e coisas assim, que são consideradas pequenas), 80% dos seus gastos são compostos por 20% das principais contas do seu mês, e por aí vai. Obviamente que a relação não precisa ser exatamente nessa proporção. Por exemplo, algumas pesquisas estimam que apenas 11% de todo o tráfego de e-mails na internet seja realmente útil, o restante são *spams*.

Uma pesquisa da Triad Consulting (www.triadedotempo.com.br), com mais de 30 mil pessoas no mundo, sobre a forma como usam seu tempo, apresentou resultado próximo do princípio de Pareto: exatamente 30% do tempo dessas pessoas é gasto com coisas realmente

Importantes, os outros 70% são distribuídos entre coisas urgentes e circunstanciais. Com essas constatações, está mais que provado que boa parte do seu tempo e da sua energia diária é desperdiçada com atividades que não geram resultado algum! Como seria sua vida se você conseguisse transformar 80% do seu tempo em muito mais resultado do que você tem hoje?

Nas próximas páginas, analisaremos situações e atividades que provavelmente consomem boa parte do seu tempo e possivelmente trazem poucos ou nenhum resultado. Mas, desde já, tenha em mente uma pergunta para tudo que for fazer:

Essa atividade é realmente importante e trará resultados para minha vida?

Nos orçamentos familiares, a frequência de mau uso do dinheiro não difere muito da frequência de mau uso do tempo. Experimente fazer o teste a seguir com seu orçamento doméstico. Caso não tenha um planejamento elaborado, que nada mais é do que a descrição detalhada de como você usa o dinheiro que recebe a cada mês, o momento de começar a fazê-lo é agora.

Conhecendo suas contas, classifique cada uma delas em uma das seguintes categorias:

- *Gastos burocráticos.* São aqueles que você assume para garantir uma estrutura adequada para seu viver, como moradia, alimentação, transporte, plano de saúde, escola das crianças, contas de água, luz e telefone, entre outros.
- *Gastos com qualidade de vida.* São aqueles que você assume para melhorar sua vida, como academia de ginástica, viagens, curso de pós-graduação, indulgências, doações, terapias e lazer.
- *Investimentos.* É o dinheiro que você deixa de gastar para colher resultados futuros. Poupança feita para um consumo conhecido de curto prazo, como uma viagem, deve ser tratada como gastos com qualidade de vida, e não como investimentos.

Os gastos mais importantes para que você se sinta realmente rico e feliz são os gastos com qualidade de vida. Curiosa e absurdamente, esses são os primeiros a serem cortados em caso de falta de recursos — não deveriam ser. Isso acontece porque ninguém os impõe ou cobra de você que os tenha; eles dependem exclusivamente de decisões suas para acontecer.

Gastos burocráticos costumam ser impostos por valores sociais e *status*. Você "deveria" morar em um bairro de alto padrão. "Deveria" ter um carro e roupas compatíveis com sua função. "Só você não tem" a última maravilha tecnológica? Por mais que os gastos burocráticos sejam importantes para atender a suas necessidades básicas, é neles que está a maior oportunidade de corte de gastos sem prejuízo da qualidade de vida.

Uma moradia própria, por exemplo, pode ser considerada uma aquisição necessária ao longo de sua vida. No entanto, um imóvel amplo e luxuoso só deveria ser adquirido após você criar as condições de mantê-lo com segurança. Isso é feito com investimentos.

Se você não consegue investir, provavelmente o erro está nas dimensões ou localização da moradia que escolheu, no tamanho do automóvel que adquiriu ou na qualidade dos eletrodomésticos que colocou dentro de casa. Essa supervalorização de sua estrutura básica de vida está lhe roubando o equilíbrio e a prosperidade. Uma decisão inteligente seria, portanto, rever os maiores gastos dentre aqueles considerados burocráticos, visando diminuir algum consumo que lhe traz pouco bem-estar e preservar os gastos que efetivamente transformam sua vida para melhor.

Aprenda a driblar solicitações invasivas e contraproducentes

Gustavo Cerbasi

Quando meu sogro Rubens ainda era vivo, ele passava a maior parte do seu tempo em casa, organizando a contabilidade da igreja da qual era presbítero. Uma de suas maiores reclamações era contra telefonemas que ofertavam produtos como cartões de crédito e solicitavam contribuições em dinheiro para instituições de caridade desconhecidas. Certo dia, presenciei-o atendendo ao telefone inoportuno de um pedinte. Não ouvi a pergunta feita, mas a resposta dele me estarreceu:

"Puxa, que bom que ainda existem instituições que telefonam em busca de dinheiro para os velhinhos. Eu gostaria de saber o que devo fazer para me cadastrar com vocês, pois minha aposentadoria mal está dando para pagar as contas aqui de casa, e preciso exatamente desse tipo de ajuda que vocês prestam." De repente, ele virou para mim e, levando o fone de volta para a base, simplesmente disse: "Desligou!"

O senhor Rubens não era sovina. Pelo contrário, ia duas ou três vezes por semana, junto com seus irmãos da igreja, a casas de pessoas doentes que não conhecia para orar por elas e levar comidas e bolos. Além disso, contribuía com 10% de sua parca renda para a igreja. Mas, a sutileza da resposta, que não deixou de ser sincera, me surpreendeu.

Na mesma época, coincidentemente, recebi uma resposta negativa de uma administradora de cartões de crédito à qual eu havia enviado uma proposta de contratação. Mesmo com um patrimônio milionário, renda elevada e cópias de várias faturas mostrando um grande volume de negócios com o cartão que eu usava até então, a nova administradora me respondeu que a proposta foi recusada em razão do meu perfil. Achei curioso, pois recebia regularmente incontáveis convites para adquirir novos cartões, sempre os ignorando. Na primeira tentativa de resposta, recebi porta na cara.

Pois então, dias depois de acompanhar a surpreendente resposta de meu sogro ao telefone, outra administradora de cartões me ligou, ofertando a contratação de um deles.

> Sem refletir muito, simplesmente respondi que não tinha interesse, pois quando submetia minha ficha para aprovação de crédito, este costumava ser recusado. A telefonista apenas me disse "obrigado, senhor", e desligou o telefone. Vibrei!

Driblar pedintes e ofertantes indesejáveis não é nada confortável, principalmente em países em que a cultura latina torna as pessoas mais próximas e afetivas, como no Brasil. Porém, é preciso ter em mente que aqueles que nos atendem ou nos telefonam em nome de empresas são pessoas treinadas para nos sensibilizar a comprar ou contribuir sem que desejemos isso. Sua defesa consiste em armar-se da mesma forma, ou seja, praticando a arte da negociação para fazer vencer seu ponto de vista.

O segredo da boa venda costuma estar em atingir o ponto fraco do comprador: conversar sobre filhos, sobre as coisas de que gosta, sobre a falta de tempo ou sobre a boa aparência e condição física. Se um obeso só vê preconceito nos olhos de quem o observa, o efeito de um vendedor que argumenta "que aparência esbelta!" é arrebatador.

O segredo da boa recusa, por outro lado, está em atacar o ponto forte da relação comercial. Quem lhe oferece um aparato tecnológico não espera ouvir que você odeia tecnologia. Quem lhe pede dinheiro ou oferta crédito não espera ouvir que você está desempregado. Quem lhe oferta uma enciclopédia não espera ouvir que você não sabe ler. É feio mentir? Oras, o que então está fazendo aquele que tenta lhe empurrar o que você não quer? Falando a verdade? Parafraseando o velho ditado, mentiroso que mente para mentiroso tem cem anos de perdão.

Simplesmente recuse o que lhe é oferecido sem ser consultado, prática que todos conhecemos pelo nome de *spam*, e que não começou na internet, mas sim no mundo real dos telefonemas e cartas sob nossas portas. Como em toda relação comercial, é mais fácil estabelecer sua recusa por telefone do que na situação olho no olho, quando loja e gestos ajudam a nos seduzir. Mas, garantimos, o sucesso de sua técnica de negociação depende exclusivamente de treino.

Reiteramos que não é nossa ideia promover a mesquinhez ou avareza, mas sim defendê-lo contra práticas indevidas e, às vezes, criminosas. Normalmente, ao contribuir com uma causa solidária, você se torna um padrinho eterno da instituição, passando a receber boletos mensais para contribuir sem antes ser consultado a respeito. Uma armadilha e tanto, caso a pessoa não tenha se planejado para efetivamente contribuir. Ao comprar produtos por telefone, você é induzido a comprar o que não vê e assinar o que não lê, abrindo ampla margem para ser ludibriado. Além disso, quem garante que um contato feito por telefone é idôneo? Para não correr o risco de sustentar estelionatários, faça suas contribuições para entidades conhecidas, renomadas e cujo trabalho possa ser acompanhado pessoalmente por você em visitas eventuais.

E-MAIL: O LADRÃO DO RESULTADO

Não precisa ser *expert* no assunto para saber o quanto o e-mail rouba do seu tempo. Algumas pesquisas mundiais mostram que podemos gastar até cinco horas por dia lendo, respondendo e classificando mensagens eletrônicas. Em uma pesquisa realizada em 2006 pela Triad Consulting com a revista Época, chegamos ao número de até três horas diárias para os brasileiros. É muito tempo que pode estar sendo roubado sem você perceber.

Infelizmente, as empresas convencionaram o e-mail como forma oficial de comunicação corporativa, e isso tem custado muito da produtividade do time. A maioria das empresas tem suas políticas de e-mail estabelecidas, mas, na prática, são tão complexas ou não são bem comunicadas, que pouquíssimas pessoas realmente as adotam no dia a dia.

Christian Barbosa

Pode ter certeza de que boa parte do seu dia e, provavelmente, das horas extras que você faz, tem um pouco de culpa do uso ineficaz do e-mail. Como escritores e palestrantes, com muito contato com o público, você pode imaginar o volume de mensagens diárias que recebemos. Eu recebo em média 350 e-mails por dia, sendo que, destes, 250 são *spam* e vão direto para o lixo e aproximadamente 100 e-mails eu tenho de responder, agir, ler ou armazenar. Se eu não usasse as estratégias que vou transmitir aqui, seria praticamente impossível lidar com esse volume de mensagens e deixar minha caixa sempre vazia. Eu vejo meus e-mails apenas três vezes ao dia (logo cedo, na volta do almoço e no meio tarde). Quando fico em reuniões o dia todo, reservo o período da noite para processar todas as minhas mensagens, que provavelmente não foram resolvidas pelo meu smartphone.

Gustavo Cerbasi

Como não costumo participar de reuniões e evito o *networking* improdutivo, basicamente 95% de meu trabalho (e não de meu tempo) resume-se a produzir conhecimento na forma de textos e analisar e responder a e-mails. Houve tempos em que eu recebia mais de 300 e-mails por dia, hoje minha média está em 100. Provavelmente, outros 200 já param antes nos anti-*spams* de meu provedor e no lixo eletrônico previamente configurado em meu Outlook. Dos 100 que recebo, cerca de 70 são rapidamente apagados. Trabalho, portanto, cerca de 30 solicitações por dia. Até 2007, eu respondia a 100% de meus e-mails, incluindo dúvidas enviadas por leitores. Hoje, dúvidas que não estão esclarecidas em meus livros estão em uma seção de FAQs (*Frequently Asked Questions*, ou Perguntas Mais Frequentes) em meu site. Mesmo dependendo tanto de e-mails, bani o acesso sem fio à internet, grande causador de estresse. Acesso a internet só nos intervalos: conecto-me de manhã para baixar meus e-mails, trabalho-os durante o dia e volto a me conectar na hora do almoço e no fim do dia, para envio de minhas respostas. Correntes, *spams* e mensagens bonitinhas nem chegam a minha caixa de entrada; param todos em filtros que aperfeiçoo continuamente. Exceto nos períodos em que me isolo para produzir novos livros ou sair em longas viagens de férias (as minhas chegam a 50 dias), minha caixa de entrada não costuma ter mais do que dez ou doze mensagens pendentes ao final do dia.

Os objetivos do uso do e-mail de forma eficiente são dois: pouco tempo gasto nessa tarefa e caixa de entrada vazia. Se você conseguir manter esses dois indicadores ao longo do seu dia a dia, tenha a certeza de que você está indo bem com seus e-mails. Para atingir esses objetivos, consideremos algumas estratégias:

1. *Não trabalhe por e-mail.* Você deve trabalhar por tarefas (atividades que devem ser executadas no dia) e não por e-mails que chegam à sua caixa postal a todo momento. Existem pessoas que, ao receberem o aviso de que possuem um novo e-mail, param tudo que estão fazendo e vão vê-lo. Essa ansiedade cria o péssimo hábito da multitarefa e você acaba se perdendo. Para evitar isso, desabilite agora o aviso de recebimento de novas mensagens, de

forma que você verifique seu e-mail quando quiser e não quando ele mandar. Estipule horários ao longo do dia para ver seus e-mails. Se você trabalha em média 9 horas por dia, umas cinco ou seis vezes é mais do que suficiente e, nesse momento, "resolva" os e-mails, como veremos adiante. Fora desses períodos, deixe seu programa de e-mails fechado. Se for urgente de verdade, alguém vai te ligar, pode ter certeza.

2. *Caixa de entrada é lista de prioridades.* Outro péssimo hábito no uso do correio eletrônico é deixar a caixa de entrada, que por acaso não tem esse nome à toa, como caixa de arquivo e armazenar centenas de e-mails antigos, que só ajudam a perder tempo. Caixa de entrada é para ficar vazia, no máximo com e-mails em que você esteja trabalhando (o que, em geral, não ultrapassa 10 mensagens). Cada e-mail que está na sua caixa de entrada geralmente tem uma atividade implícita a ele, algo a ser executado por você; logo, nada melhor do que realmente transformar e-mails em tarefas que deverão ser priorizadas.
3. *Processe seus e-mails.* Nos horários determinados para ver os e-mails é que você vai esvaziar sua caixa, por meio do processamento. Como estratégia, comece de cima para baixo e veja e-mail por e-mail. Não pule, não leia os mais importantes primeiro, não leia os mais engraçados, leia sequencialmente, e para cada mensagem aplique uma das opções:

- *Apagar* — Se não servir para nada é lixo, sem dó. Agora, se, por acaso, for algum tipo de mala direta, verifique se existe a opção "Clique aqui para se descadastrar". Se tiver, gaste alguns minutos para que esse lixo não retorne. Se não tiver, adicione esse e-mail à lista de *spam*, direcionando os futuros e-mails desse remetente diretamente para a lixeira.

- *Responder* — É rápido, simples ou fácil de responder? Faça já, não importa o que seja, responda e apague o e-mail. A resposta que está na pasta "Itens Enviados" é a mensagem mais atualizada, por isso não tenha medo de apagar o que você já respondeu.
- *Ação* — É demorado, difícil ou precisa pensar? Agende uma tarefa ou uma reunião sobre esse assunto. Em todos os softwares, o processo é basicamente clicar no e-mail e arrastar para a área de tarefas ou agenda. Os softwares criam uma atividade com base no conteúdo do e-mail. Feito isso, apague o e-mail que entrou, pois o conteúdo já está na atividade criada.
- *Informação* — É um conteúdo informativo, que poderá ser consultado posteriormente? Mova para uma pasta de acordo com o tipo de assunto.
- *Estou trabalhando nesse assunto* — Em todos os casos anteriores, nós apagamos o e-mail da caixa de entrada. Aqui será a única exceção: se estiver no seu planejamento trabalhar nesse assunto ao longo da semana, apenas neste caso, pode deixar o e-mail na caixa de entrada. Quando terminar essa atividade, armazene a mensagem.

Um estudo da Triad Consulting, com mais de 2.000 profissionais entre os anos de 2007 e 2009, mostrou que a média de e-mails recebida diariamente por um profissional em uma corporação é de aproximadamente 55 mensagens. Se você seguir o procedimento acima, levará no máximo 60 minutos para lidar com todo o seu e-mail diariamente, o que corresponde a praticamente uma redução de 70% sobre as três horas que, em média, um profissional não treinado em gestão eficaz dos seus e-mails leva normalmente.

4. *Use a inteligência das regras.* Todo sistema de e-mails possui formas para criar regras que atuam automaticamente

quando um e-mail é recebido. Mas regras, por si só, não resolvem o problema. Elas precisam ser bem aplicadas. É importante saber o que pode ser automatizado pelas regras e o que não deve ser automatizado:

- *Newsletters e e-mails de sites específicos* — Se você recebe e-mail de notícias ou propagandas de uma fonte conhecida (por exemplo, seu banco, um serviço de amigos, redes sociais, horóscopo etc.), deve criar uma regra que mova essas mensagens automaticamente para uma pasta que pode se chamar, por exemplo, *Boletins* ou *Newsletters*. Dessa forma, você tira essa informação do seu foco de atuação na Caixa de Entrada e pode se dedicar para ler apenas quando quiser.
- *Pessoas específicas* — Se você, por acaso, recebe e-mail de amigos com correntes, piadas ou videozinhos, pode criar regras para MOVER ou até APAGAR mensagens dessas pessoas especificamente. Crie uma pasta chamada *Amigos* para essa finalidade. Agora, muito cuidado na aplicação desse automatizador. Não faça isso com coisas que devem ser vistas no trabalho, como criar regras para mover todas as mensagens do seu chefe ou de membros da sua equipe para pastas, pois isso duplica a sua caixa de entrada e, em vez de ganhar, irá perder tempo e provavelmente cair em urgências, caso você se esqueça de checar essas pastas. Neste caso, o mais indicado é não usar regras e mover ou executar uma ação de forma manual.
- *Assuntos específicos* — Imagine o volume de requisições que recebemos via nossos sites de imprensa, leitores, clientes, parceiros etc. Lidar com todos pode ser um grande consumidor de tempo. A melhor estratégia, nesse caso, é configurar seu site, intranet ou qual seja a fonte para enviar e-mails com assuntos padronizados. Em meu

site, todas as requisições chegam com assuntos conforme a área responsável. Por exemplo, se for uma solicitação de imprensa, o assunto será: FALE CONSCO — IMPRENSA. Para cada assunto, existem regras que primeiro encaminham a mensagem para a pessoa responsável na empresa e depois movem para a pasta relacionada, para que fique com o controle também. Nas empresas, existem diversas requisições via intranet que têm situação similar e que podem ser automatizadas.

5. *Comunique-se melhor*. No uso do e-mail, quanto melhor redigido, maior a chance de diminuir as idas e voltas das mensagens. Por isso, tente ser o mais objetivo possível ao redigir seus e-mails. Lembre-se de que e-mail deve ser composto pelo conteúdo e pela ação que deve ser tomada. Como sugestão, após colocar o conteúdo, dê um espaço e escreva as ações que devem ser feitas, com data e responsável, destacando bem essa seção. Se você estiver em uma equipe, pode padronizar no próprio assunto o que deve ser feito, como INFORMAÇÃO, RESPONDER, AGENDAR etc.
6. *Substitua o e-mail por outros meios*. Como no futuro o uso do e-mail deverá ser substituído por outros meios, você já pode começar a entrar na onda. Boa parte das comunicações corporativas exige mensagens curtas e diretas, que podem ser feitas via Messenger, sites colaborativos, intranet, sistemas parecidos com o Twitter etc. Diversos sites gerenciadores de projetos e intranets permitem o uso de mensagens rápidas. Treine a equipe para usar esses recursos, envie mensagens rápidas (até 500 caracteres) e veja o volume de e-mails diminuírem rapidamente. Reserve o e-mail apenas para retransmitir mensagens de clientes ou processos que precisem de um detalhamento maior por escrito. Funciona, é só começar a mudança.

7. *Se você for high-tech, compre um smartphone.* Se você conseguir se controlar e tiver um perfil *high-tech*, um smartphone que permita baixar o e-mail quando estiver fora do escritório, esperando em algum lugar, é bem útil. Aqui, valem todas as recomendações acima, sem exceção. Agora, se você ficar viciado e começar a checar seus e-mails às 3h da manhã, neste caso, é melhor deixar o brinquedo de lado ou vai perder muita qualidade de vida.
8. *Automatize suas respostas.* A última estratégia para não gastar tempo com e-mails, quando bem implementada, pode ajudar bastante a reduzir o volume de tempo para lidar com eles. Boa parte dos seus e-mails consiste em responder coisas repetidas, que você já respondeu anteriormente. Imagine quantas vezes você não respondeu uma mesma pergunta, sobre o mesmo assunto, para pessoas diferentes. O primeiro passo nessa estratégia é criar uma pasta chamada FAQ. O próximo é, quando for responder a um e-mail com algo que possa ser solicitado novamente, faça uma redação bem explicada e, quando for enviar, adicione seu próprio e-mail como cópia oculta para que quando você receba a mensagem possa movê-la para a pasta FAQ. Da próxima vez em que a mesma pergunta ou similar for feita, basta reaproveitar o modelo previamente criado.

Como evitar compromissos que não nos interessam, ou *networking* improdutivo

Um tipo de atividade que podemos cortar do nosso tempo sem prejuízos a nossa vida é o que chamamos de *networking* circunstancial, improdutivo, que só consome tempo. Muitos executivos vivem de festa em festa, de visitas em visitas, atendendo a várias pessoas sem critérios e com a agenda cheia de atividades que raramente produzem resultados.

Olhe para a sua agenda do mês passado e veja a quantidade de encontros e pessoas com quem teve de lidar e que o resultado gerado foi completamente nulo. Somando essas horas, você poderá perceber o quanto de tempo é jogado no lixo todos os meses. O que colocou você nesses eventos e com todo esse *networking* improdutivo? Basicamente, suas escolhas, imposições sociais ou dificuldade em dizer não. Seja o que for, pode estar prejudicando em muito seu tempo.

Como autores de livros, empresários, palestrantes e pessoas da mídia, somos diariamente superdemandados. Imagine o volume de convites que recebemos constantemente para participar de eventos, escrever textos, visitar sites, palestras, entrevistas, reuniões e parcerias. Muitas das pessoas que nos contatam são persistentes e até inconvenientes para conseguirem o que querem. Por esse motivo, desenvolvemos nossas técnicas pessoais para filtrar as demandas e selecionar compromissos, tornando nossa rotina menos estressante do que a de muitos anônimos.

CHRISTIAN BARBOSA

Minha estratégia pessoal é ser muito objetivo nas coisas que realmente valem a pena. Eu não tenho nenhuma dificuldade ou constrangimento em dizer não quando algo não vai agregar valor a minha empresa ou para mim. Eu consigo atender a praticamente todas as solicitações da imprensa, mas recuso perguntas via e-mail que me consomem mais tempo do que uma conversa por celular, que consigo conduzir no tempo que posso. Quando dou palestras, sempre dou meu e-mail pessoal e respondo a todas as mensagens pessoalmente. Convites para reuniões, almoço com novo *networking*, só confirmo quando o objetivo do encontro está bem definido, o local é conveniente e a agenda da semana está mais tranquila. Em geral, tento casar minha agenda e aproveitar para almoçar com contatos ou amigos perto do local de reuniões já agendadas. Também dou preferência a reuniões virtuais via Skype, LiveMeeting ou Messenger; na maioria dos casos, essa estratégia resolve boa parte das reuniões. De eventos ou festas eu fujo sempre que posso, por padrão não gosto nem de fazer coquetel em lançamento de livro. Claro que meu estilo *nerd* me ajuda a manter essa linha, mas esse conjunto de ações nada mais é do que respeito ao meu próprio tempo e ao tempo dos outros.

GUSTAVO CERBASI

A Cerbasi & Associados é uma empresa formada por parcerias em que cada área tem vida própria e não depende de mim para funcionar. Quem quer contratar minhas palestras, fala com uma assessoria comercial. Quem procura consultoria, trata diretamente com um de meus parceiros. Quem quer me entrevistar posta uma solicitação pelo canal de imprensa do site www.maisdinheiro.com.br, e eu atendo a 100% das solicitações. Eu mesmo atualizo o site, e faço isso de casa. Diferentemente do Christian, gosto de entrevistas por e-mail, menos suscetíveis a erros do jornalista e que podem ser respondidas durante um voo — costumo viajar de avião de duas a três vezes por semana. Não tenho funcionários, não divulgo meus telefones e não tenho endereço comercial. Para a imprensa, o telefone divulgado é um celular pré-pago, que não me custa nada e só recebe chamadas. Quando me ligam sem ter agendado, conversam com a secretária eletrônica — e não retorno ligações que não deixam recado. Não tenho um smartphone — meu aparelho ganhei de brinde ao renovar minha assinatura com a operadora. Minha agenda é cheia das atividades que realmente quero fazer. Por exemplo, vou à feira livre uma ou duas vezes por semana. É comum dar entrevistas por telefone, sentado à beira do lago do

Parque da Aclimação, perto de onde moro. Levo meu filho à escola e almoço em casa todos os dias em que não viajo, e considero um almoço de negócios uma exceção extrema em minha agenda, que só acontecerá depois que a pauta estiver bem definida. Em hipótese alguma aceito convites para me "reunir para conhecer uma proposta". Reuniões, somente após conhecer detalhes do projeto por e-mail. Amo as videorreuniões via Skype, e só me conecto ao sistema para elas, sem aceitar convites para conectar com quem não conheço. Simplesmente recuso convites do tipo "dê um pulo em nosso escritório para nos conhecermos e tomarmos um café". Quando convidado para eventos à noite, em geral sou obrigado a recusar, pois em casa deitamos cedo. Por que reuniões e eventos à noite, depois do horário do trabalho? Meu *networking* é pequeno e eficiente, restrito aos eventos em que trabalho, às Expo Money,[1] aos contatos para entrevistas e atividades de que participo durante o dia em São Paulo. Perco negócios? Sem dúvida, mas ganho em vida. Essa é a prioridade.

Algumas estratégias para você ficar longe do *networking* improdutivo e colocar foco naquele que traz resultados:

1. *Aplique Pareto*. Relembrando o conceito de Pareto, tenha a consciência de que apenas 20% do seu *networking* gera 80% do seu resultado, por isso seja bem seletivo nos seus encontros. Analise os que têm relação direta com sua

[1] Eventos de educação financeira que reúnem os maiores especialistas do mercado financeiro e acontecem em diversas capitais brasileiras. Veja mais em www.expomoney.com.br.

empresa, carreira ou coisas de que você gosta. Os que estão desalinhados são os que provavelmente poderão ser cortados sem problemas. Antes de se inscrever em feiras, eventos e cursos, avalie a real necessidade e, se ficar na dúvida, não vá. Aquela máxima de que "todo evento é sempre bom para contatos" nem sempre é verdadeira, mas é certo que ir a todos os eventos será muito ruim para o seu tempo.

2. *Utilize redes sociais.* Uma forma de manter relação com sua rede de contato e ganhar tempo é o uso de redes sociais na internet, como Facebook, LinkedIn, Orkut e Twitter, entre outros. A vantagem de utilizar as redes sociais é que você não precisa sair de casa, faz seu networking no seu próprio tempo, e o alcance é, sem dúvida, maior.
3. *Defina o objetivo de seus encontros.* Se você definiu que é importante ter a reunião, então, para evitar perder tempo, tente traçar o objetivo da conversa. Caso tenha sido convidado, questione o que será discutido. Pense no que você gostaria de obter da reunião e fique com isso em mente. Tente enviar um e-mail solicitando ou enviando informações que o ajudem com esse objetivo. Quanto mais preparado estiver, menos tempo vai gastar. Quanto mais despreocupado você for, mais chances terá de se perder no encontro.
4. *Agende com inteligência.* Uma boa estratégia para você não perder horas em um encontro que não traga resultados é fazer um agendamento sequencial. Por exemplo, se for ter um almoço às 13h com alguém, agende algo às 15h30, de forma que você inconscientemente fique mais preocupado com seu horário e não deixe a conversa se perder. O local também pode ajudar, pois o tipo de lugar dará o tom da reunião. Um espaço informal é ideal para encontros descontraídos e com tempo de sobra. Um local mais formal, pequeno e cheio de gente

(de preferência com gente esperando na porta) ajuda a ser mais curto e objetivo.

5. *Aprenda a dizer não.* A palavra mágica que pode salvar boa parte do seu tempo é aprender a dizer não. No começo é difícil, mas assim que você for criando mais segurança e consciência das coisas realmente importantes e das que são circunstanciais, o "não" sai com mais facilidade. Se seu chefe pediu a sua presença em algum tipo de evento que você sabe que não vai agregar em nada, argumente, explique e tente dizer não para a sua participação. Não aceite logo de cara, negocie.
6. *Utilize a internet.* Uma das maiores vantagens da internet é a de que a geografia deixa de ser relevante. Muitos dos encontros podem ser substituídos por reuniões virtuais por meio de ferramentas como Skype, Messenger e GoToMeeting, entre outras. Você pode, por exemplo, abrir uma apresentação do seu computador e compartilhar com a sua audiência de uma pessoa ou até de 500 pessoas com ferramentas como o GotoMeeting. Esse tipo de encontro está ficando cada vez mais comum e será padrão em alguns anos. Experimente uma reunião virtual e veja os benefícios que a internet pode te trazer, pois, além de tempo, você economiza dinheiro também, já que a maioria das soluções é gratuita.

Seja produtivo nas redes sociais

É impossível ficar fora da revolução que vivemos nos últimos anos com a entrada das redes sociais na internet. Centenas de sites com essa finalidade nasceram no mundo todo e, com toda essa oferta de mercado, não é raro você receber um e-mail de um amigo que acabou de entrar em uma rede social, convidando-o para participar também.

Participar de todas as redes sociais é um grande erro na gestão do seu tempo. A primeira consequência é lotar sua caixa de entrada com uma série de mensagens desnecessárias no seu trabalho diário. Um estudo de 2009 da empresa americana de pesquisas *online* NET-POP mostrou que 76% das pessoas que se conectam por meio de banda larga nos Estados Unidos (aproximadamente 105 milhões de pessoas com mais de 13 anos) fazem o acesso para participar de sites de mídia social. No Brasil, as proporções são bem similares.

E como não perder tempo com essa nova ferramenta que faz parte da nossa vida? Simplesmente deixar de lado não é mais possível, mas é preciso estar consciente sobre como utilizar as redes de forma produtiva:

1) *Selecione redes importantes para participar*. A cada mês, surgem dezenas de sites de redes sociais. Alguns amigos, que têm tempo de sobra e acabam se inscrevendo em todos, mandam os convites para participarmos. Esse é o pior tipo de estratégia que você pode adotar na participação desse tipo de comunidade virtual. Escolha apenas as que são úteis para você e agregam o maior volume de amigos e *networking*. É válido que você tenha uma para amigos e coisas pessoais, e uma para sua rede profissional.

Como estratégia, procure as redes com o maior volume de usuários, pois é bem provável que seus amigos estejam conectados a elas. De acordo com um estudo do site Compete.com, de janeiro de 2009, as cinco maiores redes sociais no mundo eram:

Ranking	Rede	Visitantes Únicos
1	Facebook.com	68.557.534
2	MySpace.com	58.555.800
3	Twitter.com	5.979.052
4	Fillxster.com	7.654.423
5	Linkedin.com	11.274.160

O ranking acima foi ordenado de acordo com o volume de visitas mensais, número que omitimos, pois o número de visitantes únicos pode dar uma indicação mais precisa do volume de usuários, uma vez que é difícil de mensurar o número exato de assinantes ativos cadastrados entre as redes. É óbvio também que esses números mudam a cada segundo, mas ajudam a estimar o tamanho dessas redes sociais no mundo.

Se você está se perguntando "e o Orkut?", saiba que o Orkut ocupa a 21ª colocação da lista. Fora do Brasil e de alguns outros poucos países, essa rede é desconhecida.

CHRISTIAN BARBOSA

Eu participo de três redes sociais, além dos blogs e sites que edito. Eu tenho um perfil no Orkut, para meus amigos, leitores e participantes de eventos. Utilizo o LinkedIn para minha rede profissional e contatos no exterior, a qual tem todo meu perfil em inglês; e o Facebook, com a mesma finalidade que o Orkut aqui no Brasil para os países onde faço eventos e amigos estrangeiros. Escolhi o Facebook porque, em termos de popularidade mundo afora é similar ao Orkut aqui no Brasil. Também estou no Twitter, que, basicamente, uso quando estou móvel ou para divulgar os posts do meu blog. Em todos eles, estou como Christian Barbosa, caso queira me adicionar.

GUSTAVO CERBASI

Meu uso de redes sociais é bastante restrito. O Twitter (em que estou como gcerbasi) replica as mensagens que posto em meu blog, e estou cadastrado no LinkedIn, que é uma rede bastante profissional pela qual mantenho contato principalmente com meus ex-alunos de MBAs. Tenho um perfil no Orkut que está inativo, pois já sofri com o mau uso da rede por outros usuários, que entulhavam minha caixa de entrada com mensagens e convites para participar de grupos como "eu amo balas de maçã". Convites para participar de novas redes? Eu simplesmente apago.

Selecione as redes das quais deseja participar, cancele a sua conta em redes de menor relevância e foque seus esforços em manter as redes selecionadas atualizadas.

2) *Desative os e-mails de aviso.* O que os olhos não veem, o coração não sente e o seu tempo não é perdido. Se você deixar padronizado o recebimento de avisos toda vez que uma mensagem for deixada no seu mural, que um amigo lhe adicionar ou que acontecer qualquer outra coisa na sua rede, dificilmente você irá conseguir controlar a curiosidade de acessar a rede no meio do trabalho. Aí mora o perigo de gastar mais tempo do que deveria.

Utilize a mesma estratégia de horários do e-mail. Você pode checar sua rede social diariamente, em horários pós-expediente, à noite em casa ou quando estiver liberado. Você determina quando quer o acesso e não deixa a rede escolher seu tempo. Para desabilitar os avisos, basta ir à opção configurações (ou similar) de suas redes e escolher a opção de notificações (ou similar).

Vale também ressaltar que o e-mail a ser utilizado na rede deve ser sempre o seu pessoal e nunca o corporativo, pois se você mudar de empresa vai perder tempo na configuração do perfil e pode até ter seus dados violados.

3) *Crie um modelo ("template") do seu perfil.* A maioria das redes solicita informações similares quando você se cadastra e preenche o perfil, tais como nome, *hobbies*, formação, características pessoais, livros que recomenda, sites, blogs, sua descrição etc. Um perfil do

Orkut pode levar até 1h para ser preenchido por completo. Se você for criar um perfil no Facebook, poderá economizar um bom tempo se tiver feito uma "colinha" desse perfil em um arquivo de texto no seu computador.

Quando precisar mudar alguma coisa no perfil, altere em seu arquivo e depois replique nas redes. Além de facilitar o processo, ajuda a evitar erros de português, pois no Microsoft Word existe a correção ortográfica, enquanto no Orkut ainda não. Para quem tem perfis em mais de um idioma, o ganho de tempo é ainda maior.

Existe um site chamado AtomKeep.com que faz exatamente esse trabalho. Nele, você insere suas fotos, informações de perfil, *status* e outras informações e o próprio site atualiza as diversas redes automaticamente.

4) *Mantenha suas redes conectadas.* Se você possui diversas redes sociais, precisa pesquisar os recursos de sincronização entre essas diversas redes, de forma que uma informação atualizada em uma delas possa ser recebida pelas demais. Não estamos tratando de perfil, mas de conteúdo mesmo. Imagine que você tem uma conta no Twitter, outra no Facebook e um blog. Você pode configurar essas redes para que uma informação digitada no seu blog seja automaticamente inserida no Twitter ou no Facebook. Além de gerar ganhos de tempo, a estratégia ainda reforça a divulgação do seu conteúdo pela rede. Independentemente de onde você estiver, a informação está centralizada, porém de forma distribuída.

No Facebook e no Orkut existem configurações que permitem "habilitar" essas sincronizações e aplicativos que façam isso. Seu blog precisa gerar arquivos de atualização de novidades, chamados RSS Feeds, que são utilizados para alimentar essas atualizações. Para o Twitter, existem dezenas de sites que fazem isso. Um que funciona muito bem é o twitterfeed.com, que faz esse trabalho de forma bem simples para você.

Pergunte aos seus colegas *nerds* ou mais conectados como fazer para sincronizar suas redes, reserve um tempo para configurá-las e depois aproveite o ganho de tempo.

Menor rendimento e maior resultado?

Até agora, abordamos situações de desperdício que envolvem gasto de tempo e de dinheiro com atividades e consumo que não nos agregam valor. Isso deve tê-lo induzido a crer que o desperdício ou mau uso do dinheiro resultaria na incapacidade de investir, por tabela, acreditando que, se você poupa regularmente, está usando inteligentemente seu dinheiro. No entanto, cabe alertar que mesmo quem investe pode estar lidando muito mal com seu tempo e com seu dinheiro na modalidade de investimento escolhida.

A forma com que você usa seu tempo para escolher e administrar investimentos está diretamente relacionada ao seu sucesso. Mas, o sucesso nos investimentos não deveria interferir em seu sucesso na carreira, principalmente se você ainda não conquistou sua independência financeira e depende da renda do trabalho para se sustentar.

A relação do tempo com o sucesso em seus investimentos deve ser entendida segundo dois pontos de vista:

1. *Você TEM tempo para seus investimentos.* Quem passou dos 50 anos e se depara cotidianamente com sugestões de planejamento financeiro, talvez se arrependa de não ter começado mais cedo um plano de previdência privada ou uma disciplinada aplicação programada. No entanto, o fato de ser senhor de sua carreira, não precisar mais provar nada a ninguém e ter mais tempo disponível — ou, ao menos maior flexibilidade de tempo — o qualifica para envolver-se mais com seus investimentos. Seu perfil é o ideal para frequentar cursos, assinar jornais e revistas, passar a frequentar eventos e reuniões de investidores e passar horas acompanhando as notícias e análises do mercado que escolheu para investir. O tipo de investimento pouco importa, pois um investidor bem preparado obtém sucesso em qualquer mercado. Cabe a você experimentar e decidir por um mercado em que se sinta

à vontade nesse processo de aprendizado. O mesmo vale para aqueles que decidem se tornar profissionais de investimento de determinado mercado. Independentemente de sua idade, esse tipo de profissional vive intensamente o mundo dos negócios, o que o qualifica para investir em operações complexas e de elevado risco. Afinal, sua atividade será a de administrar riscos.

2. *Você NÃO TEM tempo para investir.* Se você é jovem ou está em uma fase extremamente atribulada de sua carreira, previna-se contra o canto da sereia das oportunidades de investimentos. Mesmo deparando-se diariamente com análises, recomendações e dicas de investimentos nos veículos de comunicação, tentar seguir estratégias pautadas em escolhas mais complexas pode ser um grande tiro no pé. É comum que investidores pouco experientes deixem de lado, por exemplo, fundos de ações e suas supostamente elevadas taxas de administração, para seguir pelo caminho da compra de ações diretamente por meio de *homebrokers*. Sem dúvida, uma estratégia inteligente e provavelmente mais rentável, mas que só costuma trazer diferenciais para quem realmente consegue se dedicar de corpo e alma ao investimento. Se a pessoa não tem tempo para estudar os papéis que quer comprar, a estratégia a adotar, as diretrizes de suas operações (como preços de negociação e estratégias de *stop*, por exemplo), o cálculo de impostos a recolher ou a compensar e a burocracia adicional das operações por intermédio de corretoras, provavelmente seu investimento lhe custará caro. Seja em corretagem, seja em gradual abandono de sua suposta estratégia em razão do sentimento de incapacidade de zelar devidamente pela carteira. A pessoa investe em algo eficiente, mas sua dependência do corretor acaba induzindo-a a um giro excessivo na

> carteira, ou então a uma situação de irregularidade em razão da dificuldade de apurar corretamente seus tributos. Quem não tem tempo deveria contar com o tempo na forma de prazo, escolhendo alternativas mais simples e estruturadas de investimento, pagando seu respectivo custo pela conveniência, contando com o efeito multiplicador do tempo e envolvendo-se totalmente naquela que deveria ser sua principal preocupação de pessoa sem tempo: sua carreira.

A popularização dos mercados de renda variável e de commodities resultou em um enorme crescimento do número de pessoas físicas operando nas diversas bolsas pelo mundo, mas trouxe também um grande inconveniente ao ambiente corporativo: é crescente o número de profissionais que atrapalham sua rotina de trabalho consultando portais de notícias econômicas e seu *homebroker* a todo momento. Seja utilizando indevidamente sua estação de trabalho, seja consultando seu próprio smartphone, essa prática vem corroendo a produtividade do trabalho e custando caro às empresas.

Falta foco a esse profissional. Caso se dedique adequadamente aos investimentos, corre o risco de perder o emprego e a renda. Caso se dedique adequadamente ao trabalho, estará expondo demais sua carteira ao nervosismo do mercado, pois não contará com nenhum gestor para lhe ajudar a tomar decisões em meio a uma reunião importante.

A estratégia de adequação é simples. Considere que taxas de administração e taxas de carregamento são o custo de sua conveniência. Em outras palavras, é o preço a pagar para que alguém monte para você uma estratégia de investimento, diversifique para diminuir o risco, recolha os impostos quando devidos e lhe envie um relatório anual para que você copie poucas linhas de informação para sua declaração de Imposto de Renda. E planeje-se para se livrar desse custo adicional sobre seus investimentos no dia em que sua independência financeira for conquistada, quando você abandonará a carreira para cuidar pessoalmente daquilo que especialistas cuidaram enquanto você multiplicava a riqueza de seu empregador.

Para quem não quer ou não consegue dedicar tempo aos investimentos, pagar a taxa de administração a um fundo é melhor do que se iludir com a construção de uma estratégia que lhe renderá em termos nominais e o consumirá em ansiedade e más escolhas. Para aqueles que sequer conseguem tempo para planejar sua vida, planos de previdência privada tendem a ser uma escolha mais sensata, pois oferecem um planejamento completo por um preço um pouco maior.

GUSTAVO CERBASI

Quando comecei minha carreira de consultor financeiro de empresas e professor, passava meus dias estudando a contabilidade empresarial e elaborando relatórios que estimavam o valor de negociação das empresas. Era especialista em avaliar o preço de uma empresa, que é o mesmo que avaliar o preço de suas ações. Lia diariamente os dois maiores jornais de negócios do Brasil, revistas quinzenais e mensais sobre o assunto, assinava boletins de associações de minha área de trabalho e, obviamente, acompanhava o mercado de ações.

Durante três anos, investi quase que a totalidade de minhas reservas (cheguei a 95%) em ações negociadas diretamente por meio de um *homebroker*. Adotava uma estratégia simples, de investir nas empresas mais conhecidas e negociadas, o que me permitia acompanhar 100% dos fatos relevantes relacionados a elas. A eleição do primeiro mandato do governo Lula trouxe uma forte crise no mercado financeiro brasileiro, o que gerou oportunidades de fazer ótimos negócios. Com eles, meu patrimônio se multiplicou e, três anos depois, eu conquistava minha independência financeira.

A partir do momento em que percebi que poderia viver do meu patrimônio, adotei duas iniciativas importantes para minha vida: diversificar bem meus investimentos e passar a contar com gestores. A diversificação foi feita dividindo meus investimentos em ações, renda fixa e imóveis, na proporção aproximada de um terço para cada modalidade. Vendi a maior parte das minhas ações e aguardei o vencimento dos meus títulos públicos para, então, direcionar esses recursos a fundos cujas estratégias me pareceram tão boas ou melhores que a minha. Enquanto alguns amigos especialistas criticam minha escolha ("você é louco de pagar taxas por um serviço que sabe fazer sozinho?"), eu comemoro a enormidade de tempo que ganhei para atividades mais prazerosas. Hoje, dedico menos de uma manhã por mês a meus investimentos e estou muito satisfeito com meus rendimentos.

Quando você dedica todo seu tempo ao emprego errado

No domingo, após o jantar, você fica feliz ou triste porque amanhã é segunda-feira e precisará trabalhar? Se sua resposta for "triste", provavelmente você sofre da síndrome da segunda-feira, que muitas pessoas vivem. Mas o dia não tem nada a ver com isso; o problema está na falta de paixão.

Você precisa ter paixão por aquilo que faz como atividade profissional. Se não está legal, se está maçante, se não está compensando, se não tem pessoas que agregam para você, se não realiza sua missão, se não é o que você gosta, não tem como você estar apaixonado pelo seu trabalho! Você faz para sobreviver, mas sabe que não é aquilo que você quer.

De acordo com uma pesquisa realizada em 11 estados no Brasil pela Gallup Organization, empresa que realiza estudos relacionados aos comportamentos humanos no mundo corporativo, 79% dos trabalhadores não estão engajados com suas atividades profissionais. Não trabalham com paixão, tampouco têm um sentimento de conexão com a empresa. Desse total, 18% estão "ativamente desengajados", ou seja, além de não gostarem do que fazem, ainda arrastam uma nuvem negra para a empresa e contaminam o ambiente de trabalho. São as verdadeiras maçãs podres corporativas. Essas pessoas ficam na zona da mediocridade e não têm a coragem de fazer algo diferente, são nocivas a si próprias e nem percebem isso.

O dado é realmente assustador. A cada dez pessoas que trabalham com você, oito estão desapaixonados pelo que fazem. Como elas conseguem focar no Importante nesse caso, quando o trabalho se tornou totalmente circunstancial?

Problemas no trabalho, desafios, coisas chatas, urgências e chefes difíceis sempre temos, isso é normal, fazem parte da natureza profissional. Mas, isso passa quando colocamos nossa vontade e competência em ação. O problema é quando tudo fica assim perenemente. Perdemos o interesse, não ligamos mais, ficamos de saco cheio por tudo. Se chegar ao ponto em que você para de aprender, sente que sua influência sobre as decisões está diminuindo e as relações estão se desgastando, esse é o momento de repensar sua carreira. O tempo no papel profissional é sempre o de maior dedicação na nossa vida. Se esse tempo não está bom para você, é como jogar no lixo a maior parte da sua vida. Isso não pode acontecer. Se chegar ao ponto em que não dá mais para você, é o momento de parar com o emprego errado.

Problemas no trabalho, desafios, coisas chatas, urgências e chefes difíceis sempre temos, isso é normal, fazem parte da natureza profissional. Mas, isso passa quando colocamos nossa vontade e competência em ação.

Pessoas competentes, dedicadas, apaixonadas pelo que fazem, conseguem mais cedo ou mais tarde uma nova colocação no mercado profissional. Mas, isso requer duas coisas: coragem para mudar e tempo para se preparar para a mudança. O medo de perder a situação estável que um emprego medíocre nos dá é um dos principais paralisantes na busca de uma nova oportunidade. No entanto, o medo pode ser suprimido com duas coisas: planejamento (de tempo e financeiro) e oportunidades que não estamos enxergando. Muitas vezes, fechamos uma porta, mas, lá na frente, abre-se um portão que, se não fosse a porta fechada, não conseguiríamos achá-lo.

O planejamento de tempo para um novo emprego significa fechar bem a porta e entregar a chave ao sucessor e preparar-se na busca por novas oportunidades. Acreditamos que temos de ser éticos e honestos no que fazemos. Faz mais bem para nosso currículo do que muito MBA, tenha certeza. Logo, se você não está contente com a empresa atual, não seria correto ter uma atitude de "dane-se" e sumir de repente.

O ideal deveria começar a criar um "manual" do seu cargo, ou treinar alguém próximo a fazer o que você faz, de forma que na sua ausência a empresa continue funcionando e tenha a impressão de que você não deixou a peteca cair, mas apenas foi buscar algo que o realizasse mais. Líder é aquele que cria sucessor e não aquele que esconde o jogo porque só ele sabe fazer. Quando você começar a procurar novas oportunidades, já comece também em paralelo a dedicar um tempinho a mais para documentar suas tarefas principais, de forma que, quando for avisar ao seu chefe de que gostaria de sair, já tenha esse "manual pronto". Se, por exemplo, você precisa entrar em um sistema e executar determinado procedimento, quando for fazer da próxima vez, abra o seu editor de texto e digite os passos que são realizados nesse processo. Ou delegue para alguém e use um tempo para explicar em detalhes os procedimentos. Isso é preparar sua saída de forma correta.

O próximo passo é planejar sua busca, o que significa dar uma revisada no seu currículo, planejar a execução de algum curso de aperfeiçoamento profissional e reservar umas horas no sábado para revisar "você na internet". Você possui perfis no Orkut, Facebook, MySpace, LinkedIn, Twitter? É hora de dar uma ajeitada, pois muitos recrutadores utilizam essas comunidades para saber informações sobre você. Siga as dicas que passamos sobre produtividade nas redes sociais. Se você não faz parte de nenhuma, esse é o momento de pensar em criar, principalmente as redes profissionais, como LinkedIn.

Não deixe o emprego errado matar a pessoa certa.

É hora também de acessar os sites de currículos para postar seus dados e revisar as vagas disponíveis, além de preparar um e-mail para alguns colegas e *headhunters*, comunicando que está em busca novas oportunidades. Para não ter ações esquecidas, pense em criar um pequeno projeto, com um checklist dessas atividades, como uma planilha Excel ou no sistema de projetos *online,* com tarefas como:

- Revisar currículo e atualizar cursos.
- Gerar versão *online* do meu currículo.
- Traduzir o currículo para o idioma em que eu tenho boa fluência.
- Atualizar perfil no LinkedIn.
- Solicitar recomendações profissionais para o LinkedIn.
- Inscrição no site de currículos monster.com.br.
- Preparar e-mail para amigos sobre nova oportunidade.
- Começar a escrever em um blog, isso pode ajudar em indicações ou referências.

Se não planejar a sua saída e começar a colocar tarefas importantes para sua nova posição, o medo e a inércia vão lotar sua agenda e você não vai sair do lugar. Não deixe o emprego errado matar a pessoa certa. Lembre-se de que a maior parte da sua vida pode estar sendo gasta com algo de que realmente você não gosta. É assim que você gostaria de se lembrar da sua história?

O momento da virada

Tomada a decisão de colocar sua vida em ordem e dar mais produtividade a seu tempo e a seu dinheiro, normalmente você irá se deparar com um desagradável obstáculo, que são as consequências de sua desordem até então. Nesse momento, geralmente nos vemos imersos em um volume tão grande de coisas urgentes e atrasadas, e com tantos compromissos financeiros dificultando mudanças em nossas escolhas, que parece que perdemos completamente o controle de nossa vida. Quando parece não haver saída, não adianta forçar a barra e iniciar de cara a gestão de tempo e a organização de suas finanças, porque você vai falhar. É preciso dar um passo significativo para trás, fazer uma grande faxina, para então organizar a casa.

Se você está estipulando tarefas para mudar sua vida daqui para frente, esqueça, por enquanto, as técnicas de planejamento ou organização. São raras as pessoas que, em meio ao caos em sua rotina pessoal, terão a persistência de adotar novos hábitos e a capacidade de se planejar de forma eficaz.

Nessa situação, você precisa fazer um grande sacrifício pessoal para zerar as pendências e começar o planejamento com mais suavidade. Comparamos esse processo a uma manutenção em um avião enquanto ele está em voo cruzeiro, pois coisas novas de sua atual rotina não deixarão de chegar, mas você precisa arrumar o avião para continuar a viagem com segurança e tranquilidade. Você terá, portanto, de trabalhar em dobro. Continuar fazendo bem o que já faz, ao mesmo tempo em que constrói uma nova rotina pessoal em paralelo.

A transição dificilmente será um período sereno em sua vida. Você dormirá menos, trabalhará mais, cuidará menos da sua saúde, cancelará compromissos que podem aguardar mais uma semana e terá de estar preparado psicologicamente. Quanto mais radicais forem seus planos de mudança, maior deverá ser sua dedicação. Talvez você tenha até de desembolsar recursos que preferiria estar poupando, com o objetivo de adquirir ferramentas ou contratar serviços que o ajudem a se organizar ou a dar disciplina a suas escolhas. Se preferir, transforme-se mentalmente em um personagem cuja energia redobrada facilitará a passagem por esse período mais duro.

GUSTAVO CERBASI

Quando meus trabalhos se acumulam, geralmente em decorrência de um isolamento para escrever um novo livro ou de férias prolongadas, eu tiro uma semana inteira para fazer minha faxina nas contas e nos compromissos. Por isso, se volto de férias no dia 20, por exemplo, minha resposta automática a e-mails diz que eu estarei ausente até o dia 30. Nessa semana, eu incorporo mentalmente um personagem por dia para me ajudar a não perder o foco no trabalho intenso. Eles recebem nomes curiosos como *dia de fúria*, *estouro da boiada*, *kamikaze*, *ultimate fighting*, *faca nos dentes*, *maratona* e *treino da madrugada* (lembrança de meus tempos de nadador). Essa energia psicológica extra me permite feitos audaciosos, como agir sobre mais de 150 e-mails em um dia, colocar em ordem de 30 a 40 contatos telefônicos em outro dia, e fechar a contabilidade de minha empresa em outro. Quando efetivamente "volto" das férias, costumo estar em dia, e não com a vida atribulada.

CHRISTIAN BARBOSA

Não é porque sou especialista em administração do tempo que nunca tenho urgências, elas acontecem, com menos frequência, mas acontecem. Em geral, tenho ficado um mês fora do país a cada três ou quatro meses no Brasil. Obviamente, quando volto existe uma série de tarefas pendentes para serem resolvidas. O que faço para minimizar esse problema é quando estou próximo de retornar, revisar com a equipe, via internet, todas as pendências. Após levantar tudo que deve ser feito, quando retorno, reservo os dias necessários para resolver essas pendências como se ainda estivesse de férias (para clientes e fornecedores). Só depois volto à rotina de atividades normais.

Sugerimos que essa seja uma técnica de planejamento e ação exclusiva para esse momento crítico, que não deve ser utilizada como forma padrão de planejamento ou de priorização diária.

Selecionamos e listamos a seguir alguns passos para você organizar suas pendências, antes de ir para o próximo passo de nosso método para ter mais tempo e mais dinheiro.

Para estancar as perdas de tempo

1) *Prepare o espírito para a maratona.* Imagine que você vai participar de uma meia maratona de 20 quilômetros. Certamente, precisará de preparação física, de condicionamento, de dedicação e dos acessórios certos (roupa, tênis etc). Quando falamos em limpar suas pendências, o processo é parecido. O ritmo não será muito diferente do de uma maratona. Você deverá estar descansado para usar sua energia nesse processo. Talvez tenha de trabalhar nos fins de semana, o que precisa ser negociado com a família. Talvez seja preciso ficar até tarde no escritório, abdicar de algumas atividades de que você goste nesse momento.

A escolha desse momento deve ser feita com cautela. Se você estiver em uma semana cheia de reuniões e coisas externas, pode ter problemas para cumprir o programa. O ideal é começar a preparar uma semana mais tranquila. O importante é que, como em uma maratona, esse momento tenha um início e um fim. Ninguém consegue correr para sempre, pois o corpo não aguenta. O propósito dessa faxina é ter uma duração curta, de poucas semanas, o que dependerá do tamanho do seu buraco. Ao iniciar o processo, já esteja com sua agenda ou ferramenta de planejamento à mão.

2) *Descubra o tamanho do seu buraco.* Faça um levantamento de tudo, tudo mesmo, que precisa ser resolvido. Quanto mais detalhada sua lista, melhor. Esse levantamento também ajudará a criar indicadores para avaliar sua evolução. Como sugestão, faça uma lista, seguindo os itens abaixo, relacionando tudo que tiver em cada categoria:

E-mails	Qual a quantidade de e-mails que estão atualmente na sua caixa de entrada e aguardando providências?
Reuniões	Quais reuniões precisam ser agendadas para resolver assuntos pendentes?
Tarefas pendentes	Quais tarefas estão pendentes? Liste todas, sem exceção.
Organização	Quais ambientes estão bagunçados e precisam ser arrumados para você ganhar mais produtividade?

Feita a lista, o próximo passo é adicionar o tempo estimado (minutos ou horas) para conclusão de cada um dos itens, nas categorias de reuniões, tarefas e organização. Para e-mails, coloque apenas o número de mensagens que estão na sua caixa de entrada.

Quantas horas de trabalho você tem se somar a duração de todas essas atividades? Quinze horas? Trinta horas? Setenta horas? De acordo com o volume de horas, dá para se ter uma estimativa de qual será a duração de sua maratona. Como índice referencial, divida o volume de horas total por cinco, para ter uma ideia aproximada do número de dias necessários.

3) *Classifique as suas atividades.* Com a lista pronta e prazos estimados, é hora de saber o que realmente é prioridade e o que não é. Como tudo está pendente mesmo, boa parte dessas atividades deixaram de ser verdadeiras urgências. Somos peritos em colocar tudo na urgência, tudo para ontem. Mas, quando tudo está atrasado, a urgência acaba perdendo o sentido, pois, se é urgente de fato e o tempo acabou, precisa ser feito imediatamente. Caso não seja, o resultado pode ser muito negativo.

Com essa análise mais criteriosa, você perceberá que parte dessas tarefas está realmente na esfera da urgência. Algumas podem esperar um pouco mais, retornando à esfera do Importante, e outras nem precisam mais ser feitas, pois se tornaram circunstanciais e não trarão mais resultados.

Ao lado da duração das tarefas, adicione uma coluna e classifique os itens como Importantes, Circunstanciais ou Urgentes. Durante essa análise, se algo não precisa mais ser feito, simplesmente risque da lista. Se algo pode ser delegado, classifique como "Delegável", que iremos priorizar no passo 5, a seguir.

4) *Priorize o que deve ser feito*. Com as atividades identificadas, mensuradas e classificadas, o próximo passo é priorizar as urgências. Focaremos em resolver primeiro o maior problema. Estude a lista e veja o que realmente pode causar o maior impacto se não for resolvido. Essa atividade vai ganhar o número 1 na nossa lista de prioridades.

Depois de priorizar as situações mais críticas, priorize agora tudo que puder ser delegado, pois isso vai ajudá-lo a eliminar mais tarefas. Depois, continue ordenando numérica e sequencialmente, mas agora priorize conforme a duração. Comece com as mais simples e rápidas (de menor duração), e depois as mais demoradas.

Provavelmente, as atividades circunstanciais e menos críticas ficarão por último nesse processo de priorização. Olhe a lista de cima para baixo e veja se alguma das atividades pode ser cortada. Se puder, não pense duas vezes, tire logo da lista.

5) *Peça ajuda e negocie com sua equipe ou com seu chefe*. Você está em estado de calamidade pública, é um bombeiro no meio do incêndio e não é hora para querer ser um herói solitário. Esse passo é importante para fazer com que o planejamento funcione de forma adequada.

Converse com o seu chefe e mostre sua lista de prioridades e a quantidade de tempo necessária para resolver. Tente negociar com ele alguns dias de *home office* (preferencialmente, na segunda e sexta-feira), o que já é um padrão em muitas empresas, ou até um *day off* (licença de um dia) para ajudar a resolver essas pendências. Se você conseguir ficar fora do escritório, terá menos interrupções e vai conseguir ter mais foco em resolver as atividades.

Com a equipe, explique a situação, converse sobre as atividades que podem ser delegadas e já encaminhe. Peça a colaboração de todos para que, durante esse período, você seja menos interrompido e não seja convocado para reuniões que não forem realmente necessárias. Avise também que vai demorar a responder seus e-mails durante esses dias.

É extremamente recomendável, caso ainda não tenha feito, que converse com sua equipe mais importante: sua família. Se tiver filhos, explique a situação, tente nos fins de semana estar presente o maior tempo possível e peça a colaboração do companheiro para levar as crianças a atividades de lazer. Com eles entretidos, o tempo passa mais rápido e você consegue focar.

6) *Planeje as prioridades*. Obtido o apoio da equipe, com uma lista priorizada e mensurada de tudo que deve ser feito, é o momento de encaixar essas atividades em nosso planejamento de trabalho. Nesse momento, você precisará da sua agenda ou do seu software de planejamento. Reveja a quantidade de dias aproximados de trabalho para concluir suas atividades e adicione mais dois dias a sua lista (um para e-mails e organização, e outro de reserva). Se, por exemplo, você tem um total de sete dias para resolver as pendências, contará com nove dias para organizar-se completamente. Com esse prazo, comece a alocar essas atividades ao longo dos dias na sua agenda.

Esse é o único período em que recomendamos uma jornada de trabalho puxada, talvez de doze a quatorze horas, incluindo os fins de semana. Não aloque um volume maior que oito horas de atividades por dia, se pretende trabalhar algo em torno de doze horas por dia. Deixe quatro horas para a rotina diária, que não parou de acontecer. Lembre-se de que o avião está voando e você está trocando o estabilizador.

Esteja pronto para ser assertivo e dizer *não* para reuniões desnecessárias e qualquer atividade circunstancial que venha a aparecer.

Se algo novo surgir, tente em primeiro lugar dizer não, delegar ou negociar o prazo. Se não tiver opção, priorize na lista, como vimos antes. Desligue Messenger, Skype, redes sociais, celular ou qualquer outra coisa que atrapalhe seu foco nesse período. Seja bem realista com você mesmo!

7) *Compromisso com você mesmo.* Conforme for realizando as atividades, vá riscando-as de sua lista. Isso é importante neste momento, pois ajuda a reforçar sua motivação e serve como indicação do seu progresso. Para concluir esse processo de mudança, é preciso estar bastante comprometido com você mesmo. É o momento de usar sua assertividade, de estar focado, de entender que você se meteu nessa maratona e agora precisa cruzar a linha de chegada, e vivo! Se parar no meio e não chegar, o problema pode crescer e você pode perder a credibilidade com seus colegas. E isso é muito mais difícil de recuperar do que a tarefa atrasada. Se precisar, faça pequenos intervalos para tomar um energético e trocar o tênis, mas desistir, nunca.

Lembre-se de que esses momentos devem ser raros em sua vida. Se você está entrando nesse caos constantemente, algo pode estar errado com a forma com que tem planejado sua vida. Em alguns momentos, esse caos se torna inevitável, mas é um momento passageiro, que exige um período de dedicação, para depois voltar ao seu normal.

Para estancar as perdas de dinheiro

Se lhe falta dinheiro para fazer escolhas, você está em uma de duas possíveis situações: 1) gastando mais do que ganha, o que o leva a estar endividado; ou 2) gastando tudo o que ganha com itens que não agregam a sua vida o valor que você gostaria. Por mais que você resista a acreditar, a segunda situação (gastar tudo o que ganha) é mais perigosa do que a primeira, porque o endividamento põe as pessoas em situação de desconforto, que as obriga a correr atrás de soluções. A falta de dívidas, por outro lado, oculta um problema de desequilíbrio financeiro que só será revelado no futuro, quando reservas financeiras estiverem fazendo falta em sua vida. Em outras palavras, a situação que aparenta ser menos grave acaba por reforçar um indesejado Ciclo da Sobrevivência, que se fortalecerá cada vez mais se você simplesmente não acreditar que a mudança depende de você, e não de um aumento de salário.

O processo de virada de mesa de sua situação financeira não difere muito daquele que sugerimos para adequar sua agenda. Vamos a ele.

1) *Prepare o espírito para a batalha.* Quando se trata de correção de sua situação financeira, não se trata de uma maratona de trabalho para tirar o atraso, mas sim de uma guerra contra seus próprios hábitos ruins. Será um processo de sair de uma perigosa zona de conforto, muitas vezes formada por hábitos antigos, vícios de seu grupo de convívio e pressões por *status* vindas do trabalho e dos amigos. Quanto mais desfavorável sua situação, mais intenso será seu Ciclo da Frustração, e mais energia você deverá despender para virar o ciclo para o lado da prosperidade.

Diferentemente do que sugerimos para reverter os problemas de uso do tempo, para o uso do dinheiro você não deverá se preparar para iniciar o processo em um momento propício, principalmente se estiver endividado. O motivo está no fato de o dinheiro, ao contrário do tempo, poder ser estocado. Quanto mais tempo você fica endividado, mais juros paga e mais aumenta o tamanho do problema. Quanto mais adia seus planos de acumular riqueza, mais juros deixa de ganhar. O momento de agir é *agora*.

O ideal é que o processo de mudança ocorra rápida e intensamente, para que seu sacrifício seja brevemente recompensado com uma situação financeira mais leve. Para iniciar sua virada, tenha à mão um bloco de anotações. Durante todo o processo, o ideal é que você acesse sua planilha de orçamento financeiro pessoal diariamente. Caso não tenha uma, baixe gratuitamente um modelo de Orçamento Familiar no site www.maisdinheiro.com.br/simuladores/.

2) *Descubra o tamanho do problema.* Mais uma vez, temos duas situações distintas: uma para quem está endividado e outra para quem sente que poderia estar realizando mais sonhos na vida.

Para os endividados, a tarefa aqui consiste em identificar todas as dívidas, relacionando-as em uma lista e levantando a documentação pertinente a cada uma, se houver. A soma de todas as dívidas proporciona uma noção de quanto você gastou além do total de ganhos que teve até hoje em sua vida, que também pode ser considerado o valor financeiro que o distancia de uma situação nada satisfatória: o ciclo da sobrevivência. Ao dividir esse total pela sua renda mensal, você também terá uma estimativa de quantos meses de seu trabalho futuro já estão comprometidos com as escolhas feitas no passado.

Quem não está em meio a dívidas não pode se considerar livre desta etapa. Pelo contrário, o trabalho é grande. Uma vez identificado seu Importante (Capítulo 5) e dimensionado o esforço para viabilizá-lo, é a soma do preço da realização de seus diversos fatores de importância que lhe dará uma ideia da magnitude financeira por trás de seus sonhos. Jamais descarte seus objetivos em função do preço a pagar por eles. Tenha esse valor em mente para fortalecer seu ímpeto diante de desafios profissionais, pois seus sonhos o motivarão a ir mais longe. Uma lista de seus sonhos e do esforço mensal e total para alcançá-los será um importante aliado de seu roteiro de voo pelo Ciclo da Prosperidade.

3) *Classifique suas prioridades financeiras.* Caso tenha seguido nossas orientações, você já deve ter classificado seus gastos em burocráticos, de qualidade de vida e investimentos. Se não seguiu, não deixe para fazer depois. Com sua classificação de prioridades em mãos, elabore um ranking dentro de cada categoria, listando suas escolhas de consumo da mais importante para a que menos lhe agrega valor. Faça o mesmo com suas dívidas, dando maior importância às mais caras (que são as que embutem juros mais elevados).

4) *Priorize o que mais contribui para sua felicidade.* Mesmo sem acreditar, a princípio, que possa descartar alguns itens de consumo, com o ranking você se verá obrigado a priorizar. Trabalhe a redução de gastos dos itens na parte de baixo do ranking. Se não puder viabilizar o investimento para todos os sonhos, adie os menos importantes. Em relação às dívidas, as mais altas devem ser as primeiras a serem negociadas e quitadas.

Levando em consideração as prioridades que você deveria ter em seus gastos, elas deveriam respeitar a seguinte escala:

1. Gastos com qualidade de vida → maior prioridade
2. Investimentos → prioridade intermediária
3. Gastos burocráticos → menor prioridade

Você deve estar pensando: "Espere um pouco, isso é loucura! Então eu devo gastar meu dinheiro com lazer antes de comprar minha moradia?!" A resposta é: não e sim. Você não deve torrar todo seu orçamento com itens burocráticos, mas sim equilibrar suas escolhas para poder comportar em suas contas aquilo que realmente importa. Se seus gastos com lazer vierem em primeiro lugar, certamente sobrará menos recursos para a moradia. Conclusão: você deverá ter um lar menor. Quando o imóvel vem em primeiro lugar, a consequência costuma ser o descarte do lazer.

Caso você esteja planejando uma nova etapa em sua vida, inverta a lógica popular das escolhas. Deixe para escolher a moradia por último. Defina primeiro a verba que será utilizada todos os meses para lhe garantir uma vida com qualidade. Depois, assegure que você poupará mensalmente o suficiente para garantir, ao menos, seus sonhos que estão entre os 20% mais importantes — lembrando Pareto, isso deve assegurar ao menos 80% de seu bem-estar. Somente depois de assegurar sua qualidade de vida e a sustentabilidade dela, reflita sobre o restante de sua verba e, então, faça suas escolhas sobre os itens burocráticos de seu orçamento.

5) *Negocie com sua "equipe" e reúna-os em busca de um só objetivo.* Casais inteligentes enriquecem juntos. Famílias inteligentes prosperam unidas. Se você tem uma família, mas seus planos são de mudar de vida para realizar seus sonhos pessoais, esqueça. Provavelmente isso só dará certo se você frustrar os sonhos dos que fazem parte de sua vida. Sua renda, independentemente de ser gerada por você, pelo companheiro ou por ambos, afeta a todos na família. Da mesma forma, todos cultivam alguma expectativa de realizar sonhos,

normalmente compatíveis com o padrão de vida que a família costuma ostentar.

Toda decisão que implique mudança no estilo de vida para resultar em colheitas futuras deve ser compartilhada com a família, principalmente porque você precisará tê-los como aliados de suas conquistas. Em outras palavras, sonhos são alcançados mais facilmente quando são perseguidos por todos, e não quando um vence a fúria de consumo dos demais. Reúna a família para discutir sonhos e sacrifícios necessários para alcançá-los, mas jamais use o termo "meus sonhos". O correto é perseguir "nossos sonhos", o que inclui o meu, o seu, o dele e também os sonhos da família.

Mesmo que sua pós-graduação seja fundamental para garantir a faculdade dos filhos, sua busca deve conviver com a busca de sonhos pessoais de seu companheiro e de seus filhos. Quanto mais sonhos a família persegue unida, mais motivos tem para comemorar, e mais se motivará a continuar perseguindo realizações na vida.

6) *Compromisso com você mesmo*. Imprevistos acontecerão, tenha certeza. Quanto mais longo for o prazo para concretizar alguns de seus objetivos, mais razões você terá para desistir. Se não estiver realmente focado em seus objetivos, preparado tanto para abraçar oportunidades que encurtem o tempo de espera, quanto para adiar por meses ou anos seus planos, realmente você se sentirá frustrado. Não encare seu planejamento financeiro como um trilho a ser perseguido, mas sim como uma trilha que sugere para quais lados seus passos têm menor chance de se perder. Esteja sempre pronto para ajustar seus planos, para adotar um Plano B ou para dar alguns passos atrás. Só não se entregue à frustração diante do primeiro obstáculo, como a maioria das pessoas faz. Muitas das belas histórias de feitos únicos alcançados por seres humanos conta mais com a perseverança de seus protagonistas do que com riscos assumidos por eles.

Capítulo 7

Planeje o equilíbrio

Se existe uma palavra que sintetiza muito claramente o processo de se conquistar mais tempo e mais dinheiro, essa palavra é *planejamento*. Algumas pessoas acreditam que planejar engessa, tira a flexibilidade, é chato ou não funciona. Mas, na verdade, planejar tempo e dinheiro é criar mais tempo para viver, com sustentabilidade financeira. Sem planejamento, é praticamente impossível conseguir as duas coisas. Nesse caso, a única saída seria apelar para a sorte, o que, sem dúvida, não é uma das melhores escolhas.

Em nossa estratégia para lhe apresentar um método, primeiramente fizemos você pensar nas coisas que eram realmente importantes, depois parar com as coisas que não dão resultados e, na sequência, falamos sobre o sacrifício necessário para você iniciar esta fase da forma correta. O planejamento é o encaixe de todas essas peças. Usaremos tudo que vimos anteriormente, agora de forma coesa e ordenada, para que possa ser colocado em funcionamento para ser aplicado em nossa rotina.

Planeje com base em uma ferramenta

Usar a memória para planejar qualquer coisa é muito ineficaz e, ainda em curto prazo, tende a uma total perda de controle. É fundamental que você utilize uma ferramenta de organização adequada para ter um planejamento eficaz.

O tipo da ferramenta de gestão de tempo a ser adotada por você dependerá do seu estilo pessoal, que pode ser tradicional, *high-tech* ou misto. O estilo tradicional prefere as ferramentas de papel e caneta, como um caderno, uma agenda comum ou uma agenda planejadora (também chamada de *planner*, facilmente encontrada em grandes papelarias) para registrar seu planejamento. As agendas planejadoras ou *planners* são aquelas que possuem divisão para agenda, tarefas e anotações. Algumas têm até opção de visualização semanal, o que é melhor ainda. Um sistema eletrônico não funcionará bem para uma pessoa tradicional, pois seu hábito é escrever, e não digitar.

As pessoas de estilo *high-tech* têm maior afinidade com a tecnologia, facilitando a adoção de software, site, smartphone, sistema de planejamento pessoal e financeiro e planilhas Excel para organizar suas atividades e finanças. Se for um *geek high-tech* (*geeks* são *nerds* que sabem lidar com seu conhecimento diferenciado, sendo bem-sucedidos em suas atividades, como Bill Gates), provavelmente todas as suas ferramentas estarão sincronizadas, ou seja, suas prioridades e anotações estarão onde ele estiver. Se precisar acessar a internet, ele terá sempre em mãos suas informações. Sistemas como o Neotriad, o GCalendar e o Zoho são amados por pessoas desse perfil.

Pessoas de estilo misto são aquelas que tentam utilizar tanto ferramentas do ambiente tradicional, quanto do *high-tech*, tentando se organizar entre os dois. Na gestão de tempo, esse é o estilo que mais se complica para gerenciar suas demandas. Acabam anotando a mesma informação em lugares diferentes ou se perdem ao priorizar o que deve ser executado. Um perfil misto típico vai às reuniões com um caderno ou uma agenda, os quais usa até para fazer suas anotações. Mas, algum tempo depois, quando ele precisar organizar o que deve ser feito, não saberá direito se está na agenda, no caderno, no e-mail, no celular etc. Muitos mistos perdem o controle das suas prioridades pelo simples fato de multiplicarem as suas ferramentas. A recomendação, neste caso, é definir muito bem os ambientes e o tipo de informação. Por exemplo, ele pode escolher manter contatos no computador e sincronizar com seu celular. Para os compromissos, pode seguir o mesmo caminho. Já para as anotações, pode deixar apenas no caderno. As tarefas (aquilo que deve ser feito) é que são o problema, pois o ideal é que você conte com alertas para quando seus prazos estiverem próximos de vencer. Neste caso, a recomendação é que adote um *software* para isso — como Neotriad.com, BaseCamp, Google Calendar e Zoho — ou, no mínimo, após anotar no caderno uma tarefa durante uma reunião, transferi-la para o sistema assim que puder.

Para cuidar de seu orçamento pessoal, também há ferramentas adequadas para cada um dos perfis identificados. A mesma agenda ou *planner* que ajuda a controlar a rotina de uma pessoa de perfil tradicional pode servir para controlar as finanças. Quem tem um orçamento simples pode contar com uma página por mês para listar suas contas e anotar suas metas. No caso de um orçamento mais complexo, o ideal é que se faça a montagem de uma única planilha para todo o ano, com cada coluna representando os gastos de um mês. Normalmente, se utiliza folhas de maior tamanho para isso, como papel A3 ou A2. As agendas planejadoras já costumam incluir páginas formatadas adequadamente para o controle de seu orçamento doméstico.

Pessoas de estilo misto se sentirão confortáveis com uma simples planilha em Excel, como a oferecida para download no site www.maisdinheiro.com.br/simuladores. Em geral, anotações e comprovantes são arquivados durante o mês, para então serem lançados na planilha no dia de fechar as contas. Aqueles de perfil *high-tech*, por outro lado, encontram nos smartphones ferramentas para lançar seus desembolsos diretamente em sua planilha de controle de contas que, provavelmente, nem estão em uma planilha de Excel, mas sim em um *software* de gerenciamento financeiro, como o Microsoft Money, ou em um portal de gerenciamento sincronizado de contas, como o Finance Desktop (www.financedesktop.com.br).

Não importa qual seu estilo e quais são suas ferramentas, o mais importante é que você escolha e as use no seu dia a dia. Caso tenha muita dificuldade em usar uma ferramenta, peça ajuda. A dificuldade tende a surgir nas primeiras semanas, mas depois você pega o jeito. Quem for espontâneo demais para qualquer tipo de agenda (digital ou de papel) pode utilizar quadros brancos, cadernos sem pauta com *post-its*, canetas coloridas ou o que fizer com que você se sinta confortável e criativo. O importante é que a cada página de agenda tenha o dia, suas tarefas, anotações e reuniões, e que a cada mês você tenha condições de descobrir rapidamente quais contas de seu projeto pessoal se desviaram da meta e merecem atenção especial nos próximos dias.

Nossa sugestão é que você faça agora uma pequena pausa na leitura e pesquise alternativas de ferramentas. Visite sites de papelarias, e compre uma agenda ou um caderno novo. Se seu perfil for do tipo misto ou *high-tech*, visite os sites www.maisdinheiro.com.br, ou www.neotriad.com e baixe as planilhas, faça uma conta gratuita no sistema e experimente. Se deixar isso para depois, provavelmente não se comprometerá a fazer.

Escolhidas as ferramentas, o próximo passo é fazê-las funcionar. O princípio básico para o uso eficaz de qualquer ferramenta é que você confie a elas controles que antes dependiam de sua memória. Descarregue tudo — tudo mesmo — que tiver para fazer na ferramenta de organização de seu tempo. Quando isso acontece, você começa a deixar a cabeça mais tranquila para focar na atividade presente em vez de toda hora ficar se lembrando de coisas para fazer. Estabeleça os limites de seus gastos mensais para cada item de consumo — sem exceção — em seu orçamento doméstico. Antes de sair às compras, apenas atente para a verba disponível para aquele item de seu orçamento, limite suas escolhas ao previsto, ou então realoque recursos de outro item menos importante do orçamento para viabilizar sua necessidade de consumo. O uso contínuo das ferramentas lhe dará segurança e foco nas escolhas pessoais.

O maior erro de quem falha na gestão de seus recursos financeiros está em ignorar os pequenos consumos, gastos como cafezinhos, pequenos presentes, revistas, água para matar a sede, gorjetas e pequenas compras cotidianas, superdimensionando o orçamento para os grandes gastos. Acostumamo-nos a atentar apenas aos grandes gastos, como a prestação do carro, a escola das crianças e o aluguel, sem reservar a necessária verba para o dia a dia. Isso causa a impressão de que os pequenos gastos, não planejados, são os culpados por nossos erros financeiros, quando o erro está na má escolha dos grandes consumos.

Como se planejar de forma eficaz

No início deste livro, tratamos de nossa vida de maneira cíclica. Talvez você não tenha percebido, mas já sabia disso há muito tempo. Nossa rotina de trabalho tende a seguir ciclos semanais. Começamos a semana mais tranquilos, descansados, atingimos um pico de atividades entre quarta e quinta-feira e, na sexta, já começamos a reduzir nosso ritmo — ou, se planejamos mal nosso tempo, a sexta-feira tende a ser uma correria alucinante para concluir demandas da semana.

Nossa rotina de atividades pessoais, por sua vez, tende a seguir ciclos mensais. A cada mês, fechamos a contabilidade pessoal, colocamos em dia o pagamento das prestações, fazemos a compra principal no supermercado e renovamos nossa promessa de fazer a academia durante todo o ano.

Já nosso estilo de vida segue uma rotina anual. A cada 365 dias, fazemos promessas de ano-novo, celebramos mais um ano de vida, tiramos férias (mais uma vez, questão de planejamento), renovamos os seguros de vida, da casa e do carro, nos emocionamos com a final do campeonato e nos inspiramos para melhorar no próximo ano.

Planejando ou não, sua vida invariavelmente acontece dentro de ciclos bem definidos. Se seus planos passam a envolver um planejamento que inclua um método de enriquecimento, o ideal é que esse planejamento respeite seus ciclos naturais de vida. Você precisará ter um planejamento estratégico anual, dividido em um planejamento mensal que vise sustentar suas metas anuais. O planejamento do mês o ajudará a alinhar o que é importante para as semanas, enquanto o planejamento da semana contribuirá na redução das urgências, aumento do foco no Importante e servirá de base para priorizar o seu dia.

Um bom planejamento deve incluir reflexões sobre esses três ciclos de vida, não deixando de levar em consideração os seguintes aspectos:

PLANEJAMENTO ANUAL

É interessante que você adote uma data fixa para refletir sobre aquela que será sua estratégia pessoal para ter mais tempo e mais dinheiro durante os próximos anos. Transformar seu planejamento em ritual aumenta a importância dada ao processo e cria uma saudável disciplina. O dia escolhido para isso vai de acordo com sua preferência pessoal. Pode ser a cada 365 a contar de hoje, se você decidir colocar seus planos em prática a partir de agora. Ou, então, a cada aniversário seu. Pode ser também o primeiro dia do ano, ou o penúltimo dia do ano. Há quem prefira casar seu planejamento anual com o processo de preenchimento da declaração de Imposto de Renda, o que não deixa de ser uma atitude sinérgica e inteligente.

GUSTAVO CERBASI

Um de meus clientes escolheu o dia 2 de novembro, Dia de Finados e feriado nacional no Brasil, como sua data para revisar seu planejamento anual. A justificativa dele? "É porque nesse feriado sempre chove!"

Em seu planejamento anual, suas escolhas em relação à gestão do tempo provavelmente serão generalistas, do tipo "neste ano, dedicarei três horas por dia útil às minhas atividades pessoais", enquanto as escolhas em relação à gestão financeira deverão ser mais objetivas, como "investirei 12% de minha renda em uma carteira de investimentos contendo 70% em renda fixa e 30% em ações, visando juntar R$ 50 mil em seis anos e viabilizar a troca de minha casa".

Os passos a seguir são fundamentais para o sucesso de seu planejamento anual:

Passo 1 — O que é importante

Se você já sabe o que é importante para você, é no planejamento estratégico anual que você terá a oportunidade de se impor metas pessoais para colocar-se em dia com suas vontades pessoais. Esse é o momento de se propor uma nova rotina de saúde, de trabalho e de convívio social. Férias também devem ser planejadas no âmbito anual, pois você terá de acumular recursos e fazer planos para elas durante alguns meses. Comprometa-se também a eliminar de sua vida o que não lhe traz resultados, estipulando limites ao uso de dinheiro com itens pouco relevantes e ao uso do tempo para atividades circunstanciais.

Passo 2 — Dimensione suas metas

Faça as contas, estime o custo mensal da concretização de seus objetivos e ajuste seu orçamento para comportá-los. Deixe sempre uma margem de erro de 5% nas contas de seu orçamento, para contar com verdadeiros imprevistos, ou mesmo com a inflação. Avalie quanto você poderá poupar por mês, e para quais objetivos pessoais e familiares será essa poupança. Esse é o momento também de começar a organizar sua vida financeira para aproveitar os benefícios fiscais do próximo ano, identificando a possibilidade de contribuir vantajosamente para planos de previdência privada e de reduzir o imposto a pagar.

PASSO 3 — ESTRUTURE SUA ESTRATÉGIA DE INVESTIMENTOS

Não basta fazer sobrar dinheiro. Você deve dignificar suas sobras, investindo-as com qualidade para que se multipliquem de forma eficiente e gerem mais resultados para viabilizar seus sonhos. Já explicamos que um dos fatores mais importantes para que você atinja seus objetivos financeiros é a disciplina, pesando muito mais do que as características de risco de seu investimento. Por isso, caso não seja profundo conhecedor do mercado financeiro, adote uma estratégia simples para a composição de sua carteira de investimentos:

- Recursos poupados para formar uma reserva de emergências: invista em alternativas conservadoras e com boa liquidez, como Títulos Públicos ou Fundos de Renda Fixa Pós-Fixada (cujos desempenhos acompanham de perto a oscilação dos juros da economia).
- Recursos poupados para viabilizar metas em até dois anos, ou com data conhecida de saque nos próximos três anos: também devem ser alocados de maneira conservadora.
- Recursos poupados para viabilizar metas de prazo superior a dois anos: invista em uma carteira mista, predominando em renda fixa e alocando entre 20% e 40% de suas reservas para este fim em renda variável.
- Recursos poupados para viabilizar objetivos sem data conhecida, dependendo apenas do acúmulo de recursos: seja mais arrojado, investindo até 100% de suas reservas para esse fim em renda variável, caso você acompanhe o noticiário econômico ao menos uma vez por semana.

O ideal é que sua carteira de investimentos se torne menos agressiva à medida que você envelhece, visando consolidar seu acúmulo patrimonial. Uma regra de segurança que deve sempre ser usada como referência para quem não é profissional dos investimentos é a chamada Regra dos 80. Segundo ela, você deve ter sua carteira composta da seguinte maneira:

- Percentual em Renda Variável = (80 — sua idade)%
- Percentual em Renda Fixa = o que resta, após aplicar a conta acima em Renda Variável

Por exemplo, uma pessoa de 35 anos deveria ter uma carteira composta por 45% em renda variável e 55% em renda fixa. Entenda por renda variável os investimentos em ativos que mudam de valor nas crises, como ações e imóveis. Essa regra não deve preponderar sobre regras objetivas, como as citadas acima, relacionadas ao prazo para conquistar suas metas.

Outra iniciativa importante em seu planejamento anual é rebalancear sua carteira, quando um investimento rende muito mais do que outro. Por exemplo, se sua carteira é a exemplificada acima para uma pessoa de 35 anos, e a parcela de investimentos em renda variável cresce muito mais que a renda fixa, na data de execução do planejamento anual recomenda-se que o excesso de recursos investidos em ações seja realocado para a renda fixa. Se a bolsa tiver caído, o processo se inverte. Na prática, esse processo é a automatização da máxima "compre na baixa e venda na alta."

Planejamento mensal

O planejamento mensal serve para que as estratégias do planejamento anual sejam traduzidas em ações semanais ou mensais para permitirem concretizar seus objetivos. É com a execução e controle mensais que você identifica se está no rumo certo ou se precisa de ajustes para fechar o ano com suas missões pessoais cumpridas.

Mais uma vez, sugerimos que você adote uma data fixa para esse planejamento, de forma a "ritualizar" esse passo e incluí-lo em sua rotina. Você pode, por exemplo, adotar o primeiro dia de cada mês para fazer essa revisão. Com boas ferramentas financeiras e de gestão de tempo, você não levará mais do que 30 minutos para calibrar sua estratégia.

Vamos aos passos que sugerimos para seu planejamento mensal:

PASSO 1 — AGINDO SOBRE O IMPORTANTE

A cada início de mês, revise suas metas de consumo para o mês anterior, ajuste os itens que não foram cumpridos e refaça suas metas para o próximo mês, focando seus gastos no seu Importante. Assim que o dinheiro entrar em sua conta, pague-se primeiro, ou seja, destine os recursos previstos para seus investimentos imediatamente. Não espere fechar o mês para saber se sobrou dinheiro para isso, pois assim provavelmente não sobrará. Discuta com sua família a necessidade de ajuste de gastos ou substituição de consumos mais burocráticos, a fim de preservar o consumo que mantém sua vida mais saudável.

Avalie também o uso de seu tempo para atividades importantes. Se você analisar seu mês anterior, descobrirá que algumas coisas importantes podem ter ficado de lado, como, por exemplo, um curso que planejava fazer, tempo com sua família, uma visita ao médico, uma revisão do seu carro etc. Faça uma avaliação do que pode ser feito de importante nesse mês e agende-se.

Enquanto o mês ainda tem datas vazias é o momento ideal para agendar as atividades importantes, que costumam ser feitas em cima da hora porque nos esquecemos delas. É o momento também de olhar para os itens que já estão agendados no contexto do mês e criar atividades de prevenção de urgências. Por exemplo, suponha que você tenha uma apresentação no dia 20; você pode agendar uma tarefa para no dia 16 já começar a preparar a apresentação. Quanto mais você se antecipar, menos urgências terá. Talvez você ache estranho antecipar em alguns dias uma atividade, já que temos a tendência de só fazer em cima da hora. Porém, quanto mais o planejamento se tornar um hábito em sua vida, mais comum você vai achar esse procedimento.

Passo 2 — Alinhe suas metas

Esse passo é fundamental para as semanas subsequentes do mês. Pegue a relação das metas que você escreveu, selecione, no máximo, quatro objetivos para serem focados ao longo do mês e revise suas atividades já agendadas no mês. Esse é o momento ideal para perguntar: o que eu preciso executar de atividades práticas para fazer a meta evoluir? Descreva esses passos por meio de atividades da forma mais detalhada e prática possível. Evite atividades grandes ou muito genéricas. Por exemplo, troque juntar dinheiro por depositar valor X todo dia 5 de cada mês. Se alguma atividade desse plano puder ser agendada no mês, faça já! Se não puder, deixe para revisar isso no planejamento semanal.

Em relação a seu planejamento financeiro, nenhum escopo do planejamento é tão importante quanto o mensal. Isso se deve ao fato de a maioria de nossos compromissos financeiros ter vencimentos mensais, permitindo identificar muito precocemente se estamos ou não no caminho certo para cumprir com nosso compromisso pessoal. Se, mesmo com um controle mensal, suas contas continuam estourando, aumente a frequência de controle para quinzenal, talvez até semanal. A disciplina no uso do dinheiro é obtida com vigilância. A primeira reação de quem começa a realizar seu controle financeiro mensal e que tem muitas prestações a vencer é abandonar o péssimo hábito de comprar a prazo.

Passo 3 — Monitore sua estratégia financeira

Sua estratégia de investimentos é de longo prazo, e sua proposta de rebalanceamento é anual. Isso não significa que você não deve agir mensalmente para assegurar a construção de médio e longo prazo de seus objetivos. Ao fazer as contas para saber quanto poupar por mês, no planejamento anual, você precisa estimar uma rentabilidade média para seus investimentos. No planejamento mensal, você deve acompanhar o desempenho de seus fundos e verificar se o resultado projetado para o ano bate com suas simulações. Se estiver aquém, é hora de solicitar orientações a seu gerente de banco, consultar um agente autônomo de investimentos[1] ou estudar as publicações especializadas para saber a opinião e a recomendação de analistas profissionais. Mesmo quem tem uma estratégia conservadora pode obter resultados diferenciados nos investimentos, desde que esteja atento a oportunidades de negócios para vitaminar sua rentabilidade de tempos em tempos.

PLANEJAMENTO SEMANAL

Do ponto de vista financeiro, pouco há a fazer em um planejamento financeiro, a não ser apontar seus gastos diários ou, simplesmente, solicitar comprovantes de compras para seus lançamentos mensais. A não ser que você tenha dificuldade em manter uma disciplina de consumo, a versão mais detalhada de seu planejamento financeiro é a mensal.

Em relação à gestão do tempo, é diferente. É no planejamento semanal que estará a principal condição para seu sucesso pessoal. De uma maneira geral, as pessoas têm o costume de fazer planejamentos diários em vez de semanais. Elas fazem a lista de afazeres pela manhã e começam a colocá-los em prática. Essa é uma estratégia reativa que leva ao surgimento de urgências e circunstâncias no meio do

---

[1] Agente autônomo de investimentos é o profissional habilitado a orientar o investimento de pessoas físicas e "vender" produtos de investimento "normalmente fundos", sendo comissionado pelo gestor do fundo por essa atividade de captação.

caminho. De quebra, é bem provável que nessa lista não constem tarefas ou compromissos realmente importantes. Planejamento diário é irreal, é tarde demais para evitar os problemas que não foram antecipados. O que se planeja é o futuro, e isso significa planejar pelo menos três dias para frente, ou idealmente uma semana inteira. Isso é agir de forma pró-ativa, com base em suas perspectivas mensais e com foco no importante.

Esse planejamento pode ser feito na sexta, no sábado ou no domingo, mas evite a segunda-feira para essa tarefa, pois raramente vai conseguir se livrar das interrupções do início da semana para conseguir focar no seu plano. No começo, você levará, em média, 35 minutos para fazer seu planejamento se usar papel, e um pouco menos com software. Quando pegar a prática, conseguirá fazê-lo em 20 minutos.

Christian Barbosa

Planejar a semana é um hábito sagrado meu. Se eu consigo tempo em minha vida, é consequência da junção de um excelente planejamento das coisas realmente importantes com o planejamento semanal. Eu faço o meu planejamento todos os domingos por volta das 20h, usando o Neotriad, e depois sincronizo para o Microsoft Outlook e para meu smartphone. Quando chega segunda-feira, apenas priorizo o meu dia. Mas, nem sempre o processo foi tão prático. No começo, foi difícil. Demorei bastante, semanas, até criar o hábito e ter resultados. Por isso, eu insisto em que você não deve simplesmente crer na administração do tempo, pois é ciência, matemática e, se você aplicar do jeito correto, vai dar resultados, mais cedo ou tarde.

O objetivo desse planejamento é determinar as tarefas e compromissos que você terá de realizar ao longo dessa semana, tirando-os da sua cabeça e colocando no papel (ou no software). Cada tarefa deve ter sua duração estipulada, pois essa é a única forma de saber se o dia tem coisas de mais ou de menos para serem executadas.

O somatório da duração das tarefas e compromissos permite uma análise correta da programação e distribuição racional delas pelos dias da semana. Ao montar o seu planejamento semanal, é importante perguntar a si mesmo: *quantas horas você quer trabalhar por dia?* A regra básica é planejar, no máximo, 70% do tempo, deixando o restante para os imprevistos e a criatividade. Se você pretende trabalhar oito horas, planeje no máximo seis e assim por diante.

Você poderá customizar o seu planejamento semanal da forma que desejar, mas existem quatro passos principais que devem ser feitos:

1. *Ações Importantes.* O primeiro passo do planejamento semanal é justamente focar nas coisas importantes da sua vida. Pense nos papéis que você exerce (pai, profissional, amigo etc.) e descarregue todas as ações (tarefas/compromissos) pertinentes para a semana (como relatórios, apresentações, telefonemas, pagar uma conta, fazer uma aplicação etc). Aproveite e inclua uma tarefa para melhorar a qualidade de seus relacionamentos, equilíbrio e missão de vida. Tudo que lembrar deve ser anotado. Às vezes, você coloca uma tarefa em um dia e lembra que algo precisa ser feito para evitar que sua conclusão atrase ou que seja corretamente concluída. Quando chegar nesse ponto, é sinal de que seu planejamento está começando a melhorar.
2. *Revise seu e-mail.* Como boa parte de suas demandas da semana chegam por e-mail, nada mais coerente do que olhar sua caixa de entrada, conforme os procedimentos vistos na fase anterior e criar as atividades. Além de limpar seus e-mails, este hábito ajuda na organização das tarefas pendentes da semana anterior.

3. *Faça suas metas saírem do papel.* Na semana, foque em, no máximo, dois objetivos, e selecione as atividades que podem ser executadas ao longo dela. Esse passo é importante, pois ele faz com que você tenha a sensação de que sua vida está evoluindo e não simplesmente se deixando agir freneticamente nas urgências diárias.
4. *Organize seu ambiente.* Uma boa estratégia no planejamento semanal é adicionar tarefas de organização de seu ambiente físico (mesa, gavetas, pastas, notas, recibos etc.) e também do seu ambiente lógico (e-mail, arquivos, sites, informações etc.). Os melhores dias para essas atividades são a quinta e a sexta-feira, pois assim deixam o começo da semana mais organizado.

Algumas dicas finais para você planejar bem sua semana:

1. Tome muito cuidado com a segunda-feira. Se você enchê-la de tarefas, correrá o risco de não cumpri-las e, assim, comprometer todo o restante dos dias. Muitas equipes adoram fazer a reunião de planejamento na segunda-feira, mas estatisticamente é o pior dia para isso. Transfira essa atividade para a sexta-feira e veja os resultados. Além de mais eficiente, é mais congruente com o planejamento semanal das pessoas.
2. Analise a agenda de cada dia e veja se existe tempo livre disponível. Planejar de forma a lotar todos os dias é apenas uma forma de entrar na urgência. Se não tiver jeito, prepare-se para fazer hora extra, mas, sempre que possível, replaneje.
3. Em dias com excesso de tarefas, diminua o número de vezes em que você checa seus e-mails. Caso contrário, seu dia não renderá o necessário. Confira os recados no fim do expediente ou, no máximo, duas vezes ao dia.

CONSTRUINDO E FORTALECENDO SEU CICLO DA PROSPERIDADE

O planejamento só faz sentido se você tem algum objetivo a conquistar. As orientações fornecidas até aqui não visam, simplesmente, lhe proporcionar mais tempo para ficar ocioso ou mais dinheiro para torrar com futilidades. Uma vida feliz é uma vida com sentido, e é esse sentido que queremos dar a seu dia a dia. É por isso que ilustramos nossa percepção de sentido de vida pelo que convencionamos chamar de Ciclo da Prosperidade.

Uma vez que você se propõe a planejar sua vida, vislumbrar a evolução de seu ciclo para uma prosperidade cada vez mais intensa e perceptível em seu cotidiano é o que consideramos um objetivo de vida coerente. Não busque mais tempo e mais dinheiro para simplesmente conseguir fazer bem o que faz hoje, ou gastar bem com o que gasta hoje. Sua gestão de tempo deve levá-lo a uma condição de poder contar com ainda mais disponibilidade de tempo para suas atividades pessoais no futuro. Sua gestão financeira deve conduzi-lo à independência financeira, que é a condição de poder manter seu padrão de vida sem precisar trabalhar, ou trabalhando apenas por prazer ou paixão.

Como conseguir isso? Basta direcionar parte de seu tempo e dinheiro economizado para mecanismos multiplicadores que facilitem a evolução de seu ciclo. Comecemos detalhando características importantes de um ciclo da prosperidade:

1. Para sair do Ciclo da Sobrevivência, você precisa ter condições de planejar transformações em sua vida.
2. Para poder fazer planos, você precisa de tempo disponível.
3. Administrando seu tempo, você cria condições de planejar três importantes condições:
   a. Organizar suas finanças para poder conquistar objetivos até então inviáveis.

b. Traçar planos de carreira que lhe permitam evoluir em termos profissionais e, consequentemente, em termos de renda.
c. Disponibilizar tempo para agir em relação aos dois pontos anteriores, seja dedicando-se a aprender mais sobre investimentos, seja inscrevendo-se em um curso de profissionalização que possa alavancar sua carreira.

4. Com dinheiro e com tempo, você passa a ter condições de desfrutar de uma vida menos desgastante e mais dedicada à família, contribuindo para seu bem-estar, sentimento de realização e, consequentemente, motivando-o a trabalhar melhor.
5. Também em função de contar com mais dinheiro e com mais tempo, você tem condições de colocar em prática seu planejamento de carreira, o que inclui se aperfeiçoar profissionalmente, seja fazendo cursos de especialização, seja passando a frequentar eventos de sua associação profissional.
6. Fortalecendo-se profissionalmente, duas possíveis condições são criadas:
   a. Você melhora sua empregabilidade e adquire condições de negociar o aumento de sua renda, em função de sua maior capacitação.
   b. Você assume posições hierarquicamente superiores, permitindo-lhe delegar funções que lhe consumiam tempo.
7. A evolução na carreira é revigorante, pois significa reconhecimento social e aumento na renda ou nos benefícios.
8. Ao negociar sua evolução profissional e salarial, abre-se espaço para negociar também prêmios indiretos, como a oportunidade de desfrutar de férias vencidas. Nada como sair de férias antes de começar uma nova etapa de

trabalho, com o intuito de esvaziar a mente e se concentrar para a nova rotina.

9. Se você sabiamente estiver construindo sua independência financeira com um bom plano de previdência privada ou similar, terá ainda a seu favor o aumento da condição financeira para contribuir com seu projeto pessoal e encurtar uma possível aposentadoria. Quanto mais se fortalece esse processo, mais enfraquece o sentimento de que você trabalha por necessidade e mais se fortalecem as escolhas profissionais que o apaixonam.
10. Quanto mais apaixonado pelo seu trabalho e mais satisfeito com sua condição financeira, menor é a necessidade de aceitar promoções que não lhe permitam desfrutar de uma vida pessoal equilibrada, digna e que atenda a seus interesses.
11. Com mais renda, mais motivação e maior capacidade de delegar, você tem melhores condições de fazer escolhas. Seus planos podem ser aperfeiçoados, vislumbrando melhoria na qualidade de vida e condições de fazer cursos de especialização de maior valor. Nesse ponto, inicia-se um novo ciclo, pois você estará planejando seu tempo e seu dinheiro para uma condição de carreira e de vida superior à planejada no item 1 desta reflexão.

É importante notar que, quanto mais evoluímos em nosso Ciclo da Prosperidade, mais intenso tende a ser nosso crescimento. O aumento de renda decorrente da evolução de analista para gerente é superior ao decorrente da evolução de *trainee* para analista. De gerente para diretor, é mais intenso ainda. Não bastasse a maior renda decorrente da evolução na carreira, sabe-se que, quanto mais elevado o nível hierárquico, mais benefícios e regalias são conquistados. Apesar da maior renda, adquirimos menor pressão sobre o orçamento e mais condições de planejar nosso bem-estar.

O que você está esperando para começar a traçar seus planos?

Capítulo 8

Melhore sua qualidade de consumo

Há quem, mesmo estando no Ciclo da Prosperidade, sinta-se frustrado por não ter um sentimento de colheita, de recompensa de seus esforços. São pessoas cuja renda vem crescendo vertiginosamente, dedicando-se a seu desenvolvimento pessoal, convivendo socialmente e participando de atividades da família, porém de maneira automatizada, como se estivessem batendo cartão nos compromissos que se propõem a viabilizar. Em vez de desfrutar de seus sonhos, simplesmente colecionam sonhos, como que provando para os outros que se superaram, mas sem o sentimento de conquista verdadeira.

Gustavo Cerbasi

Há alguns meses, visitando um grande amigo em Nova York, eu estava almoçando com ele enquanto caía uma forte chuva lá fora. Como ele morava na cidade, pedi uma sugestão do que fazer naquela tarde, já que eu estava sem planos. "Por que você não vai até a Brooklyn Bridge, a ponte mais famosa da cidade? O visual é incrível! Obviamente, você não vai aproveitar nada com essa chuva, mas, pelo menos, poderá ticar mais um nome em sua lista de lugares imperdíveis a conhecer na vida."

Gostei da sugestão da lista, que eu não tinha. Mas senti-me estranho com a proposta de ir a um lugar só para dizer que fui, sabendo que não iria aproveitar. Para testar meu sentimento, acatei a sugestão. Chegando lá, mal consegui tirar fotos, e não aproveitei nada. Saí de lá com um bom motivo para voltar a Nova York mais uma vez.

Mais importante do que a conquista, é desfrutar dela. Não basta sonhar em realizar ou possuir algo. É preciso saber *como* realizar seu sonho, ou *como* desfrutar de sua conquista. Por exemplo, se seu sonho for possuir um automóvel esportivo, de nada adiantará gastar um dinheirão na compra dele se for para ficar na garagem ou preso no trânsito. No entanto, se você conseguir se dedicar a fins de semana em autódromos ou longas viagens por boas rodovias, cada centavo de sua conquista pode ser muito bem pago.

Quanto mais apaixonadamente vivemos, mais motivos surgem para multiplicar esse sentimento. É o Ciclo da Prosperidade gerando seus melhores efeitos.

Também é importante que seus sonhos incluam metas de curto, médio e longo prazos. Evite perseguir apenas objetivos audaciosos, conquistáveis após anos de esforço pessoal ou familiar. Planejar pressupõe que temos algum resultado a ser perseguido em uma data futura, ou seja, planejamos para ter um futuro melhor. Uma vida feliz, porém, não é feita apenas de futuro, de esperança de que as coisas irão melhorar. Uma vida é feliz quando temos razões para comemorar diariamente, quando alimentamos nossos sonhos com as celebrações de outros sonhos já conquistados. Precisamos de energia para adiar o consumo ou priorizar as atividades, e essa energia pode vir de nós mesmos. Felicidade é um estado de espírito, não uma conquista de longo prazo.

Estamos tratando de um método de construção de riqueza em termos de tempo e de dinheiro, e um dos pilares desse método, o último que apresentamos, consiste em utilizar com muita qualidade o tempo e o dinheiro que você disponibiliza. O objetivo é ter tanto prazer em utilizar o tempo e o dinheiro economizados que você desejará economizar muito mais.

A ideia é que jamais lhe sobre tempo, e que jamais seu dinheiro seja poupado sem um propósito, sem a certeza de que está lá lhe trazendo algum benefício. Nossa intenção é induzi-lo a ter tamanha paixão pelas suas conquistas, que você jamais desejará abandonar seu trabalho, seu relacionamento, suas práticas esportivas ou sua vida. Viver apaixonadamente faz bem.

Uma pessoa apaixonada faz girar automaticamente o Ciclo da Prosperidade, sempre atrai novas oportunidades, vive seus relacionamentos com intensidade e tem a sensação gratificante de momentos importantes bem vividos. Isso faz do apaixonado uma pessoa admirada por seus pares, às vezes também invejada. Ele se destaca do grupo, é promovido primeiro, é celebrado quando volta de férias, é convidado para ser padrinho e para ser companhia em momentos prazerosos dos amigos. Quanto mais apaixonadamente vivemos, mais motivos surgem para multiplicar esse sentimento. É o Ciclo da Prosperidade gerando seus melhores efeitos.

Lembre-se de que não podemos estocar tempo. Por isso, tempo mal usado é recurso desperdiçado. Tão importante quanto saber gerenciar bem seu tempo é saber gerenciar bem sua energia pessoal. Um é dependente do outro. Energia sem tempo é ação frenética sem evolução, como um filhote cheio de energia sem adestramento, um motor desregulado. Tempo sem energia é procrastinação, falta de foco e desânimo.

Pode acontecer de você ter planejado sua semana, priorizado seu dia, tudo correr bem, o tempo ser suficiente, não acontecerem urgências, mas, no fim do dia, você não conseguir concluir nem metade das tarefas planejadas. Acabou navegando na internet, tomando cafés mais extensos, literalmente desperdiçou o tempo. Esse é um exemplo típico de um dia com pouca energia.

Agora, a pessoa que tem energia demais e não utiliza as técnicas de gestão de tempo é aquela que fica ansiosa ao longo do dia, gosta da urgência, euforia, não consegue focar, acaba fazendo um monte de coisas, mas, na verdade, não sai do lugar. Gerenciar tempo com energia é saber ter qualidade de consumo, ou seja, aproveitar sua rotina para acrescentar momentos agradáveis que façam com que você tenha e use seu tempo com sabedoria, avançando na sua vida. Investir dinheiro em você e em seus momentos, para conquistar esse equilíbrio, é essencial.

Nossa proposta nessa etapa de nosso método é fazer uma reflexão sobre o uso do seu dinheiro com qualidade e sobre o aproveitamento de seu tempo nas coisas mais simples e com as pessoas importantes.

INVISTA EM VOCÊ!

Um dos grandes erros que podemos cometer quando estamos com a agenda cheia e o tempo parece estar curto é descartar o que gostamos de fazer. A pessoa mais importante da sua vida é você, e ela sempre deve vir em primeiro lugar. Se não estiver bem, se estiver estressado e ficar doente, não vai conseguir ter tempo para os filhos, para o trabalho, para amigos etc. Por isso, cuidar de você é, na verdade, a primeira coisa que deve ser feita, para viabilizar a energia necessária para as demais conquistas. Não se trata de egoísmo, mas sim de autossobrevivência. Cuidando mais de si, você terá mais pique, mais disposição, mais alegria e, por consequência, mais produtividade para dar conta de seus dias atribulados.

Não podemos estocar tempo. Por isso, tempo mal usado é recurso desperdiçado.

Christian Barbosa

Na época em que estava no maior momento de estresse da minha vida, com a saúde extremamente debilitada, foi o momento em que mais descobri que cuidar mais de mim mesmo era a única saída para conseguir tocar o barco.

No primeiro curso de administração de tempo que fiz naquela época, o instrutor fez uma pergunta que não me deixou dormir por muitos dias: ele me perguntou se eu tinha tempo para mim mesmo. Ainda reforçou que, a partir do momento em que essa resposta fosse positiva, o curso estaria terminado de fato. Na hora em que ele disse isso, achei ridículo. Eu não tinha tempo para tantas coisas que considerava como sendo besteiras, quanto mais ter tempo para mim mesmo. Mas, depois que o curso terminou, fiquei pensando na bendita pergunta. Aquilo havia me incomodado, de fato. Fiquei algumas noites pensando sem parar na tal pergunta, sem achar uma resposta satisfatória.

Um dia, estava agendando algumas reuniões e me perguntei: "Eu marco reuniões com tanta gente, e se um dia eu agendar uma reunião comigo mesmo!!?" Não deu outra: agendei uma reunião chamada de "Reunião Comigo Mesmo" na sexta-feira da semana seguinte, das 17h às 19h. Na outra semana, minha secretária me perguntou que raio de reunião era essa de sexta-feira, eu ri e disse que precisava fazer algo de importante para mim, mas eu estava tão estressado que já nem me lembrava mais do que eu gostava de fazer.

Naquele dia, peguei o carro e saí pela cidade, sem saber ao certo o que iria fazer. Passei em frente ao cinema e parei para assistir a um filme. Quando saí daquele filme, a sensação de realização, bem-estar e equilíbrio foi tão grande, que valeu demais a pena! Não pelo filme em si, mas pelo fato de ter tido um tempo com algo importante, pessoal e que trouxesse satisfação pessoal. Depois disso, nunca mais deixei de fazer, pelo menos a cada mês, uma reunião comigo mesmo.

Agendar sua reunião com você mesmo o ajudará a se redescobrir. Que tal fazer isso agora? Abra sua agenda, escolha uma data e defina essa reunião! Mas, dessa vez, e apenas neste caso, ela não precisará ser conduzida nem acompanhada; sugerimos que seja apenas para se curtir como se fosse seu último dia de vida! Não importa o que você vai fazer, o que importa é que invista tempo e dinheiro no que gosta de fazer. Faça algo de que realmente goste: compre uma roupa, vá tomar um sorvete, assistir a um filme, passear de bicicleta, andar de skate, passear no shopping, academia, entre outros.

Dar tempo a você pode ainda prolongar sua vida. Cientistas britânicos descobriram que fazer esporte regularmente pode prolongar a vida de um ser humano. O estudo é feito desde 1993 com 20 mil homens e mulheres da cidade de Norfolk, no interior da Grã-Bretanha, todos com idade entre 45 e 79 anos. Os adeptos da rotina saudável conseguiram viver uma média de 14 anos a mais do que os sedentários! É muito tempo a mais, concorda?

O que pode, então, ser feito por você nesta semana? Em que atividade você pode investir seu tempo e dinheiro e começar a viver de verdade? Não tente, não sonhe, não diga que vai fazer; apenas planeje, agende e faça!

A OPÇÃO DO *HOME OFFICE*

Uma opção de trabalho que está se tornando comum nas empresas e que traz um grande benefício de tempo para o profissional é o *home office*, ou trabalhar em casa. As empresas descobriram nessa alternativa uma forma de estimular o equilíbrio de vida, motivar seus profissionais e reduzir seus custos. Os profissionais enxergam uma forma de ter mais tempo com a família, mais equilíbrio pessoal e horários flexíveis de trabalho.

Se a preocupação é ter mais tempo para você, que tal começar por descartar o grande tempo consumido no deslocamento para o trabalho? Se você mora em uma grande cidade, onde o trânsito é um problema, pode ganhar até um mês de vida por ano com o *home office*. O motivo é que o tempo médio gasto diariamente no trânsito pelo brasileiro é de 2,6 horas. Em países desenvolvidos, esse tempo é de uma hora. O trânsito ruim afeta 20,5% da população do país. Se multiplicarmos esse valor médio pelos dias úteis e por 12 meses, teremos praticamente um mês de vida sentados em um carro por ano! Muito tempo, não acha? Se esse trajeto é feito ao volante, alguma providência precisa ser tomada.

De acordo com uma pesquisa realizada pelo Citigroup em cidades da América Latina, o congestionamento de automóveis reduz a produtividade do trabalhador em 5%, o que equivale a US$ 919,50 anuais, em média, segundo o estudo intitulado "Longe do Caminho Batido" — em inglês, *Off the beaten path*.

Se você mora em uma grande cidade, onde o trânsito é um problema, pode ganhar até um mês de vida por ano com o ***home office*****.**

Obviamente, a escolha pelo *home office* exige alguns cuidados, pois nem todo mundo se adapta à rotina de trabalhar em casa. Como sugestão, comece aos poucos, talvez pegando dois dias da semana (segunda e sexta) e, depois, caso consiga se adaptar, migre completamente.

Para seu *home office* funcionar bem, é preciso que estabeleça algumas regras:

1º) *Família*. Você precisará negociar com a sua família o trabalho em casa. Toda a família deve entender que você em casa significa trabalho. Se tiver crianças, precisará de uma babá que acompanhe os filhos durante seu horário de expediente.

2º) *Disciplina*. Você precisará criar o hábito de trabalhar em casa. Isso significa um horário fixo de trabalho (começo e término), roupa adequada e paradas semelhantes às da empresa. Nada de trabalhar de pijama ou na cama, pois isso só fará você se dispersar e perder sua produtividade.

3º) *Ambiente*. Se possível, crie um espaço reservado para seu escritório, invista nesse ambiente. Compre mesa, cadeira ergonômica, armários, gaveteiros, material de papelaria e escritório, impressora, telefone sem fio etc.

4º) *Tecnologia*. Esse é o principal ingrediente do *home office* eficaz. Você precisará de uma banda larga de alta velocidade (acima de 2 megabytes) e uma conexão *backup* no caso de falhas (todos sabemos que a internet falha exatamente quando precisamos dela). Converse com a equipe de tecnologia de sua empresa e veja como acessar seus e-mails, comunicador, rede e sistemas corporativos a partir de sua casa.

Aprenda outro idioma

Um excelente exemplo de aproveitamento do seu tempo e dinheiro para objetivos pessoais que impulsionem seu Ciclo da Prosperidade é o aprendizado de outro idioma. De acordo com a pesquisa feita com mais de cinco mil mulheres para o livro *Você dona do seu tempo* (Christian Barbosa, Ed. Gente, 2008), esse é o segundo objetivo mais desejado por mulheres e também pelos homens. Falar outro idioma fluente é o exemplo de atividade que ajuda você a conquistar novas oportunidades profissionais, avançar na sua carreira, ganhar mais dinheiro, viajar mais e aprender mais.

O problema é que esse é o tipo de objetivo que muita gente quer, mas poucos o conquistam de verdade, porque acaba se tornando obrigação maçante e não algo importante de fato. Para aprender a falar inglês fluentemente, muitas pessoas passam anos em uma excelente escola, gastam uma fortuna e não conseguem decolar no idioma. O problema, provavelmente, está no mau uso de seu tempo e de seu dinheiro em uma rotina pouco produtiva ou incompatível com seu ritmo.

Procure inovar em suas escolhas. Se você calcular o custo de uma excelente escola de idiomas, descobrirá que o preço de um curso fora do país é igual ou até mais barato, se levarmos em consideração que um mês imerso na cultura nativa equivale a um semestre de aprendizado em seu país. Por que, então, não aproveitar seu tempo e seu dinheiro de forma mais inteligente?

Com o devido planejamento, é possível aproveitar suas férias para fazer um curso fora do país. Programado com antecedência, você poderá até usar suas milhas para a passagem aérea, conseguir desconto em hotéis pelo pagamento antecipado ou conseguir uma moradia para estudantes.

Christian Barbosa

> Em 2008, eu fiz um curso de fluência em inglês em Nova York. Aproveitei que tinha uma série de reuniões, e o curso era só de manhã. Consegui levar minha esposa também, e foi como uma segunda lua de mel. O preço da diária de hotéis nos Estados Unidos, na maioria dos lugares, é por quarto e não por pessoa; logo, a ida dela não aumentou em nada meu custo. Para a passagem dela, usei milhas acumuladas que eu tinha. O curso foi para dois, resultando em um bom desconto e custando praticamente o que gastamos com professor particular em dois meses, pouco antes. Eu mesmo fiz todo o planejamento, reservas e tudo mais, via internet, com tempo. Criei um projeto no Neotriad, compartilhei com a minha esposa e íamos colocando tudo que precisava ser feito para não esquecermos nada. Foi o exemplo perfeito de usar bem o tempo e o dinheiro: aprimorei meu inglês, reforcei meu papel de marido, curti a cidade e ainda fiz negócios.

Viajar para aprender um idioma é um perfeito exemplo de qualidade de consumo. Além da viagem, existem outros meios que podem ser utilizados dentro de seu orçamento e de seu limitado tempo, para você avançar no idioma que escolher. As sugestões a seguir são bastante úteis para quem está em busca de aprimorar sua fluência em um idioma.

Crie uma meta. Não adianta estudar sem perceber progressos reais do seu estudo. Falar um idioma fluentemente é muito subjetivo e não dá um real indicador do seu progresso. Estipule uma meta e foque em seus estudos para alcançar esse objetivo. Para o inglês, por exemplo, você pode definir que vai tirar, em uma data específica, X pontos no TOEIC (www.toeic.com), um exame que atesta a fluência no idioma.

Escola virtual. Se você não consegue manter uma disciplina de horários para ir a uma escola física de idiomas, pode optar por algum curso *online*, que permite que você estude de qualquer lugar em qualquer momento. A maioria delas oferece aulas de gramática, de compreensão auditiva e de conversação. Algumas ainda contam com uma opção de professor dedicado, incluindo garantia de aprendizado ou seu dinheiro de volta. Se você pensar que seu almoço tem uma hora de duração e você gasta, em média, trinta minutos (para quem almoça perto da empresa), sobram outros trinta minutos para dedicar à aula, ou em qualquer outro horário em que consiga se conectar.

Aprendizado no carro. Quanto tempo mesmo você fica parado no trânsito todos os dias? Voltemos ao exemplo das mais de duas horas diárias de um paulistano. Se você aproveitar 50% desse tempo para ouvir um CD de ensino de idioma, terá uma hora de aprendizado por dia. Cursos desse tipo costumam ser vendidos em bancas de jornal.

Professor particular. Além de reforçar o que você vê ou ouve nas aulas virtuais, as aulas particulares o ajudam a aprimorar suas falhas de dicção.

Leia no idioma que deseja aprender. Está pensando em ler um livro? Visite a Amazon.com e compre a versão do livro no idioma que você está aprendendo. Além de ampliar seu vocabulário, ajuda na sua construção gramatical.

Assistir a filmes sem legendas. Pode atrapalhar um pouquinho seu prazer, mas é um método eficiente para treinar sua capacidade de compreender a fala, maior desafio de quem se depara com uma situação em outro idioma.

Se você colocar o outro idioma como uma ação rotineira na sua vida, em pouco tempo ele se tornará algo natural. Com as sugestões acima, é possível dedicar várias horas por semana ao aprimoramento de um idioma, sem precisar gastar horas sentado em uma escola, e a um custo certamente menor.

10 DICAS PARA TER MAIS TEMPO

As ferramentas de planejamento que sugerimos até agora certamente garantirão que você alivie sua agenda de forma considerável. O bom uso delas, entretanto, pode fazer de você um *expert* no gerenciamento de tempo, fazendo disso outro diferencial para sua carreira. Reunimos dez recomendações inteligentes de gestão de tempo, para que você coloque em prática o quanto antes.

1. Automatize

Automatizar sua vida significa colocar o maior volume possível de atividades no "piloto automático", de forma que não consumam seu tempo e possam ajudá-lo a focar em atividades realmente importantes.

Se você analisar suas tarefas da semana, perceberá que muitas coisas poderiam ser feitas por outras pessoas ou de forma automática, sem sua intervenção direta. Entre elas, estão atividades como respostas automáticas a e-mails padrão (memorandos), e-mails de agendamento de reuniões, preenchimento de formulários, revisões de texto, cotações, logística de viagens, acompanhamento de tarefas ou contatos, pesquisas na internet etc. Contar com uma secretária, um estagiário ou assistente ajuda a desafogar a equipe de tarefas circunstanciais, deixando o time trabalhar no que é realmente importante. O custo compensa. Se você pensar no valor/hora de um gerente da sua equipe trabalhando em uma revisão de *layout* de uma apresentação, comparado ao valor/hora de uma assistente, verá que conseguirá ganhar tempo e dinheiro.

O que não deve ser automatizado são as tarefas estratégias, decisões importantes, definição de metas, *feedbacks*, planejamento em equipe, coisas específicas e de responsabilidade do membro da equipe. Faça as contas, analise suas tarefas e confirme que pelo menos 30% do seu tempo no dia poderia ser completamente automatizado!

2. ORGANIZE

Um grande ladrão invisível de tempo que temos em nosso ambiente de trabalho é a falta de organização da nossa papelada, de nossos arquivos, de nosso computador e, principalmente, de nosso conhecimento (as coisas que sabemos e que, quando precisamos, não conseguimos encontrar a referência ou o conteúdo). Se você fizer as contas de quanto tempo perde ao longo do dia com pequenas paradas para procurar papéis ou informações que você mesmo armazenou, mas não lembra onde, o total pode estar por volta de 50 a 90 minutos. É muito tempo desperdiçado à toa.

Quando começar a planejar sua semana, aloque uma atividade para planejar seus ambientes. Siga as seguintes recomendações:

a) *Planeje antes.* Antes de sair organizando, planeje sua organização. Desenhe um mapa, como se fosse um organograma ou um mapa mental, com a sua estrutura de organização. O que entra e em que lugar. Com esse "mapa" em mãos, você deve utilizar o mesmo padrão de organização para seu ambiente físico, lógico e do conhecimento. Isso significa que suas pastas físicas terão o mesmo padrão de organização das pastas do seu computador e das pastas de e-mail. Isso integra e facilita a pesquisa de qualquer item.

b) *Um local por vez.* Organizar é algo que cansa, dá enjoo e dor de cabeça para muita gente. Por isso, evite fazer toda sua organização de uma só vez. Comece aos poucos. Na primeira semana, programe a organização de sua mesa; na semana seguinte, de suas pastas, e assim por diante. Quem tenta fazer tudo de uma única vez, e não tem disciplina de organização suficiente, desistirá no meio e deixará a bagunça pior ainda.

c) *Lixo!* Não tenha dó do papel. Se não for usar, mande diretamente para o lixo. Você até pode arquivar muita coisa, mas, na hora da limpeza, deve descartar o que não tem mais utilidade.

d) *Pastas e sacos plásticos.* Se você estiver organizando pela primeira vez essas ferramentas, é essencial que você tenha uma caneta piloto ou etiquetadora para marcar o nome da pasta. O que não for para o lixo deve ser armazenado nas pastas correspondentes às categorias criadas no seu planejamento de pastas.

e) *Crie sua base pessoal de conhecimento.* Durante o processo de organização, você acaba guardando muito conteúdo, mas na hora em que precisa dessa informação não consegue se lembrar do que tem. A solução é criar um índice pessoal que referencie seu conteúdo (resumo, palavras chave, *tags*, fonte etc.) e a sua localização. Isso pode ser feito usando uma simples planilha de Excel ou um sistema de organização como o Triad Organiza (www.triadorganiza.com.br) ou o PaperTiger (www.thepapertiger.com).

3. Reconheça suas distrações

Todo mundo tem um ponto fraco que tira sua atenção ao longo do dia de trabalho. Pode ser o e-mail, telefonemas, revistas, redes sociais, SMS, celulares, pessoas ou qualquer outra coisa que faça com que você fuja de uma tarefa e fique gastando seu tempo à toa. Descubra quais são suas piores distrações para que, no momento em que for se dedicar a uma tarefa complexa, consiga se afastar dela. É a estratégia "shutdown", ou seja, se "desligar" de tudo que te atrapalha.

Se, por exemplo, você for se dedicar à tarefa de fazer uma planilha complexa, desligue seu e-mail, coloque seu celular no modo silencioso, deixe o telefone na secretária eletrônica, feche todos os programas que não sejam os das suas planilhas. Quanto menos distrações você tiver, mais foco conseguirá. Se necessário, crie um pequeno ritual de concentração, como, por exemplo, tomar uma água, um café, ouvir uma música ou o que for necessário para lhe ajudar a se concentrar.

4. Microgerenciamento X Macrogerenciamento

Microgerenciamento é cuidar de detalhes, de pequenas tarefas rotineiras, detalhar os passos para alcançar um projeto ou uma meta. Macrogerenciamento é cuidar dos indicadores dos projetos, da equipe, do andamento das metas, ter uma visão do todo em vez do detalhe.

Para a gestão do tempo, o microgerenciamento é importante, pois evita a perda de controle das coisas pequenas, ajuda a mensurar com mais clareza e a planejar de forma mais detalhada. Mas o foco exclusivo no microgerenciamento tira a visão do todo, e pode deixar a pessoa apenas administrando o "micro", sem evoluir no "macro".

O macrogerenciamento é vital para a evolução da rotina, para definir a visão, a estratégia, traçar os indicadores e motivar a equipe a andar para frente. Mas, quando você foca exclusivamente no macrogerenciamento, perde os detalhes, acaba sofrendo de urgências imprevistas (por negligenciar o detalhe), perde oportunidades de melhora em processos e fica distante do dia a dia.

Qual dos dois é o mais eficaz para o seu tempo? A resposta depende muito de sua posição. Um gestor (gerente, diretor, supervisor) deveria focar 70% do seu tempo no macrogerenciamento e

30% no microgerenciamento. Já alguém operacional poderia atuar de forma exatamente oposta.

O importante é haver sinergia entre essas duas formas, de modo a não perder a visão do todo, nem deixar o detalhe de lado.

Christian Barbosa

Posso citar minha dinâmica pessoal como um exemplo prático: Eu toco muitos projetos de empresas diferentes. Gerenciar todos no micro me deixaria ainda mais sem cabelos. O que eu faço é trabalhar no macro com a equipe, que por consequência planeja o micro. Eu crio equipes no Neotriad para cada empresa, crio projetos dentro dessas equipes e coloco as tarefas detalhadamente. Toda sexta-feira, olho os indicadores das equipes, analiso o que andou, o que atrasou e se necessário chamo todos para uma reunião de planejamento. Quando tudo está no prazo pelos indicadores, eu nem me preocupo se uma tarefa que era na terça foi para a sexta, pois, se estamos no prazo, a equipe está se "microgerenciando" e está funcionando. Se eu entrar nesse detalhe com a equipe, perco tempo e tiro a espontaneidade do time.

Aprenda a balancear o micro e o macrogerenciamento de acordo com seu papel na equipe. É mais tempo para você e menos estresse no controle de múltiplos projetos.

5. Faça pausas, mas não faça multitarefa

Quando estamos totalmente sem tempo, a primeira coisa que deixamos de fazer são as atividades pessoais, como um curso de idiomas, um esporte, um tratamento de saúde etc. Focamos em terceiros e nos esquecemos do "primeiro" na relação do tempo. Com isso, acabamos em um círculo vicioso que nos deixa ainda mais sem tempo para nada.

Quanto mais você deixa de lado as suas verdadeiras prioridades, menos energia, concentração e disposição terá para atender a todas as suas demandas. Quando você sabe que está fazendo uma atividade, mas está deixando de lado algo de que você realmente gosta, seu estado de execução gera sentimentos pessoais como desperdício, raiva, tristeza e ansiedade, entre outros. Quando você foca primeiro em você, cria um estado que permite um aumento da sua produtividade, e isso traz resultados impressionantes.

Fazer pausas eventuais para atividades de que você gosta o tira da linearidade do trabalho e o ajuda a colocar um pouco de lazer em seus momentos. Isso ajuda a recarregar as baterias, afastar o estresse e aumentar seu ritmo produtivo.

Quanto mais estressados e sem energia estamos, maior a tendência a fazermos a multitarefa. Esse é um dos piores hábitos que podemos ter em nossa rotina e que nos faz perder muito tempo. A insistência em tentar fazer diversas atividades simultaneamente só piora nosso estado de cansaço e falta de foco.

De acordo com um estudo da cientista da informação Gloria Mark, um profissional do conhecimento pode chegar a trocar de tarefas a cada três minutos. Cada vez que isso acontece, pode levar até 25 minutos para retornar a tarefa inicial. Perdemos muito tempo sem reparar e a falta de pequenas pausas só piora esse estado.

Experimente colocar pequenos "mimos" pessoais ao longo do dia, intervalos de alguns minutos, que podem valer horas no dia. Você pode, por exemplo, fazer uma pausa para ler um livro de que gosta, ouvir uma música, tirar um pouco de sua hora do almoço para fazer uma massagem rápida ou ver um filme. Faça pausas, recarregue suas energias. Isso o ajudará a aumentar seu foco e evitar a multitarefa.

6. Descubra seu ponto produtivo

Muitas pessoas perdem muito tempo fazendo coisas certas nas horas erradas. O corpo tem um ritmo natural de funcionamento com momentos de alto e baixo desempenho. Isso é o que chamamos de ciclo natural de produtividade, que precisa ser explorado para obtermos melhores resultados em nossas tarefas diárias. Em geral, temos um ritmo maior de produtividade durante as primeiras horas da manhã, que diminui após o almoço porque o corpo precisa de energia para fazer a digestão. Depois, o ritmo tende a aumentar um pouco até o final do dia. Mas, isso não é uma regra; existem pessoas que são exatamente o oposto.

O segredo é identificar seu ritmo natural, descobrindo os horários de maior disposição e desempenho e também os de maior cansaço e menor produtividade. Identificados nossos picos de produtividade natural, devemos priorizar as tarefas de maior complexidade ou dificuldade nos períodos de alto desempenho, e tarefas rotineiras ou mais simples em períodos de baixa produtividade. Assim, fica mais fácil reduzir a procrastinação e realizar as atividades.

7. Delegue corretamente

Delegar tudo o que você puder o ajudará a ter mais tempo no seu dia. Muitos acreditam que delegar é perder poder, mas, na verdade, delegar também é uma forma de liderar. Há quem não delegue porque não confia no outro ou acha que a pessoa que receberá a tarefa não irá realizá-la corretamente. Ouvimos bastante a famosa frase: "Se quiser algo bem feito, faça você mesmo."

A má notícia sobre delegação é que em 99% dos casos, o erro na tarefa delegada não é culpa do executor, mas da pessoa que delegou. Provavelmente, durante a delegação, o responsável não teve tempo, paciência ou competência para explicar em detalhes o que deveria ser feito. Quando delegamos, temos uma imagem mental do que deverá ser feito. Delegar consiste em transferir, em todos os detalhes, essa imagem para a cabeça da outra pessoa. Por que não desenhar para a pessoa? Por que não mostrar algo semelhante? Por que não pedir para a pessoa lhe explicar novamente o que deve ser feito? Detalhamento é fundamental na delegação. Quanto mais, melhor.

Outros fatores importantes na delegação são:

- Delegue de manhã — Em geral, este é o maior período de produtividade das pessoas e também as ajuda a se priorizarem.
- Justifique por que é Importante — A tarefa sendo delegada é importante? Por quê? Se você não conseguir responder, é provável que seja uma tarefa circunstancial. Faça com que a pessoa que irá executá-la veja o valor que está agregando à tarefa.
- Delegue com antecedência — Líderes urgentes criam equipes urgentes. Delegue com antecedência mínima de dois dias. Seu planejamento pessoal ajudará a criar esse prazo. No meio do prazo, envie um e-mail de *follow up*; se necessário, crie uma tarefa para lembrá-lo disso.

8. Diga pelo menos um "não" por dia

Não é fácil aprender a dizer não. Em uma pesquisa realizada em parceria com a revista Você S/A, em 2008, sobre não, delegação e reuniões, descobrimos que, para 66% dos entrevistados, dizer "não" era uma grande dificuldade no dia a dia. Quando dizemos apenas "sim", o número de atividades circunstanciais cresce, lotamos nossa agenda com coisas que não precisaríamos fazer e acabamos ficando mal com nossa própria consciência, por termos aceitado as tarefas.

Uma das melhores formas de aprender a dizer "não" e ser mais assertivo no dia a dia é negociar suas prioridades. Se você realizar seu planejamento semanal e priorizar suas atividades, quando alguém lhe pedir uma tarefa, dê uma olhada em seu dia e veja se há tempo disponível. Se não tiver e precisar dizer um "não", explique que seu dia já tem X horas planejadas de atividades, e que com essa tarefa não conseguirá executar. Sugira que seja feita em outro dia.

Negociar prioridades com sua equipe e com seu líder é a palavra-chave para uma boa gestão de tempo e para facilitar a entrada da palavra "não" na sua rotina. Não é apenas má ou boa vontade, é o planejamento e a importância que devem decidir o que fazer e o que recusar.

9. Aplique a colaboração

Cada vez mais vivemos em uma sociedade colaborativa, na qual dependemos de terceiros para executarmos tarefas, concluirmos projetos e tomarmos decisões. A tecnologia pela internet e de redes colaborativas nos conectou, mas, infelizmente, não estamos sabendo utilizar bem seus recursos. Por isso, acabamos perdendo tempo com algo que deveria nos ajudar.

O e-mail, por exemplo, que de todas é a revolução mais presente em nossa vida, se tornou uma ferramenta tão importante que é quase impossível imaginar o trabalho sem ela. Mas, apesar de essencial, tem sido mal utilizado. Nas empresas, observamos as péssimas práticas de e-mail que consomem o tempo de todos, como correntes, cópia para todos, conteúdos incompletos ou de difícil compreensão, excesso de mensagens etc.

As ferramentas de *Instant Messenger* (como MSN e Skype), são extremamente úteis para reuniões rápidas e auxílio na tomada de decisões, mas as empresas que adotaram a solução corporativa estão revendo sua adoção, pois, na prática, os resultados esperados não apareceram.

As próprias reuniões, que independem de tecnologia, transformaram-se no pior ladrão de tempo corporativo. Atualmente, uma pesquisa realizada pela Triad comprovou que apenas um terço das reuniões é realmente necessário e eficaz.

Esses problemas são constantes no cenário da administração de tempo em pleno século XXI. Há solução para isso? Sim: Colaboração Produtiva, e não simplesmente gestão de tempo por si só! Não adianta ter um *planner*, usar um smartphone e ser organizadíssimo, se o ambiente de trabalho e se as pessoas que trabalham juntas não decidirem colaborar para gerar resultados. Se estamos vivendo a Era do Conhecimento, a próxima evolução será na direção da Era da Colaboração. Para colaborar visando ganhar mais tempo e foco, é preciso criar essa cultura na equipe. Um bom início é convidar o time para pensar em soluções para melhoria do trabalho no ambiente, como, por exemplo, utilizar o e-mail de forma mais eficaz, estipular regras de conduta nesse tipo de comunicação e também para reuniões.

Oriente a equipe a planejar em conjunto seus projetos, metas e ações. Não importa o tamanho do departamento, é sempre produtivo discutir, uma vez por semana, as agendas que dependem de terceiros e criar estratégias para prevenção de urgências.

10. Priorize suas tarefas diárias

Aprender a priorizar seu dia é a mais importante de nossas dez recomendações. Entenda que, para esse conceito funcionar, você deverá já ter planejado sua semana e, quando chegar no dia de trabalho, terá as atividades que devem ser feitas previamente estabelecidas. A primeira ação de todas as manhãs deve ser priorizar o seu dia, definir o que fazer primeiro e o que fazer depois. É uma atividade que leva uns 5 a 10 minutos para fazer, mas que pode render horas no seu dia.

O conceito básico por trás da priorização é *apenas* dar uma sequência numérica de ordem de execução das atividades, de acordo com os passos abaixo. Esta técnica nasceu de um estudo com mais de 30 milhões de atividades gerenciadas pelo Neotriad no mundo, e mostrou a forma mais eficiente para se conseguir completar um dia de trabalho. São quatro passos bem simples, mas que fazem uma enorme diferença:

a) *Revise seu e-mail e pendências.* Como boa parte de nossas atividades chega por e-mail, ao chegar à empresa, a primeira ação a ser tomada deve ser processar seus e-mails como vimos anteriormente e criar atividades do que deve ser feito hoje. Qualquer priorização antes de se saber todas as pendências previstas para o dia é irreal.

b) *Primeiro o mais fácil e o mais rápido.* Veja a duração de suas atividades do dia. Coisas rápidas e simples de se resolver (5 a 10 minutos) devem ser as primeiras ações do dia. Em geral, recomendávamos que fossem as últimas ações, mas estatisticamente essas tarefas não são feitas e se acumulam para os próximos dias.

c) *Primeiro o Urgente, depois o Importante.* Dizer que o Importante deve ser feito primeiro é bonito na teoria, mas, na prática, coisas urgentes não resolvidas crescem, se tornam grandes problemas e, às vezes, o fazem perder o controle de toda a semana.

d) *Priorize seu biorritmo.* Descubra o seu ponto produtivo e coloque atividades complexas, chatas e difíceis nesse período. Caso contrário, terá uma grande tendência a procrastinação (adiar) e a fazer multitarefa.

10 DICAS PARA TER MAIS DINHEIRO

Nos capítulos anteriores, salientamos que, para ter mais dinheiro, não é preciso, necessariamente, diminuir seu consumo. Cortar gastos pode ser uma boa ideia, mas essa ideia será ainda melhor se o corte nos gastos for feito sem que lhe seja imposta a condição de diminuir seu padrão de vida. A ideia por trás do bom uso do dinheiro é você tirar o máximo proveito possível do dinheiro que tem, independentemente de quanto seja.

Lembre-se de que é possível adquirir coisas ou viver situações usando pouco ou nenhum dinheiro.

Lembre-se de que uma vida rica envolve presentear, desfrutar, comprar mimos para você e sentir-se livre. Mas lembre-se, também, que é possível adquirir coisas ou viver situações usando pouco ou nenhum dinheiro. Criatividade é uma moeda forte. Poupança é outra moeda que faz milagres. Negociação é outra prática que pode lhe render vários meses de salário ao longo da vida. Ter mais dinheiro não é fruto apenas de quanto você corta de gastos, quanto poupa e onde investe, mas principalmente da relação que você tem com seu dinheiro e a dinâmica dada a ele. As dez recomendações inteligentes de uso de dinheiro, apresentadas a seguir, o ajudarão a melhorar essa relação.

1. Gaste sempre

Você provavelmente conhece alguém que não pode ir a shopping centers, pois, se for, o orçamento dos próximos três meses estará arruinado. A compulsão por compras é causada por diversos fatores, entre eles a depressão, a frustração, a baixa autoestima, a ignorância (desconhecimento de seus limites) e a timidez (dificuldade de dizer não). Alguns desses fatores podem ser corrigidos com acompanhamento psicológico. Fazer compras é prazeroso, pois significa atender a anseios pessoais. Por esse motivo, muitas pessoas que têm situações mal resolvidas em sua vida acabam encontrando nas compras uma válvula de escape.

Mas, na maior parte dos casos, não é preciso investir em consultas a um terapeuta para mudar sua válvula de escape. Quando um desequilíbrio financeiro acaba com a verba para compras, a pessoa se vê obrigada a se afastar das compras durante muito tempo. Vontades e necessidades vão sendo represadas por meses, até que a compra de alguns itens se mostra urgente, e a ida às compras é questão de sobrevivência. Nessa situação, quando se “abre a comporta” do consumo, a situação supostamente compulsiva se apresenta por dois motivos: 1) há muitos itens na lista de necessidades de compras, dificultando a priorização; e 2) o longo intervalo sem compras tira da pessoa a noção de preço justo e sua capacidade de barganhar.

Quando a compulsão não é patológica, o que falta ao comprador compulsivo é um pouco de disciplina e oportunidade de realizar seus prazeres. Se você ou seu parceiro se acaba nas compras a cada dois meses, planeje-se para aumentar a frequência de compras.

Obviamente, sem se esquecer de estipular uma verba específica para isso e preocupando-se em manter-se dentro da verba. É como ir ao supermercado de barriga cheia. Quanto mais satisfeito você estiver, menos recorrerá a compras fúteis para saciar suas vontades.

2. Prefira ser, em vez de ter

Cair na cilada do *status* é uma das maiores armadilhas para nosso bolso. Um ditado de autoria desconhecida diz que *status* significa comprar coisas que você não quer, com um dinheiro que não tem, para convencer pessoas que não gosta que você é quem ainda não conseguiu ser. Quando começamos a recorrer a bens de consumo como roupa da moda, carro, práticas esportivas e acessórios somente para tentar nos nivelar a pessoas cuja atenção queremos atrair, às vezes, para sermos incluídos em um grupo social, na verdade estamos deixando de lado nossa individualidade e nos rebaixando a um consumismo barato.

Gustavo Cerbasi

Em meus tempos de professor de pós-graduação, uma das coisas que mais me incomodavam era a discreta e constante cobrança de meus superiores para que eu demonstrasse um certo poder por meio do visual. "Está na hora de você ter um carro melhor", ou "Deixa eu ver a marca de sua gravata?", ou então "Quem faz suas camisas para você?" eram frases que eu ouvia exaustivamente. Quanta bobagem! Se eu tinha um carro popular para aumentar minha segurança, ou se eu comprava minhas camisas e gravatas em lojas populares, acreditava que não era da conta de ninguém. Aliás, essas foram escolhas que me ajudaram a chegar a meu primeiro milhão! Por outro lado, muitos de meus colegas perdiam oportunidades interessantes de novas experiências profissionais, com argumentos como: "Não vou pegar um trabalho que me pague pouco, pois tenho contas a pagar e devo preencher minha agenda com horas realmente produtivas." Muitos devem estar trabalhando bastante até hoje.

Esforce-se para não ceder às marcas da moda, para não pagar para ser um simples *outdoor* ambulante. Um produto mais caro às vezes possui qualidade diferenciada, mas conscientize-se de que antes de tê-lo é preciso poder tê-lo. Se sua situação não permitir o desfrute do que há de melhor, seja criativo, improvise, visite brechós, compre de segunda mão, compre um modelo que está para ser substituído por um novo. Você tem pouco a perder com esse tipo de escolha.

Prefira ser, em vez de ter. Seja feliz, em vez de procurar ter o que faz os outros felizes. Na hora de presentear ou comemorar, que tal substituir a compra de coisas pelo desfrute de experiências de vida? Por exemplo, em vez de gastar uma pequena fortuna comprando um grande buquê de flores, por que não propor a seu parceiro que, no dia dos namorados, vocês plantem juntos uma roseira para ter flores na janela o ano todo?

Viva criativamente, enquanto seu dinheiro trabalha em equilíbrio para evitar problemas que possam acabar com sua inspiração.

Outro exemplo relacionado a quem você ama: se ela gosta muito de arte, uma boa escolha é presenteá-la com uma gravura de Romero Britto — que vale alguns milhares de dólares — e deixá-la feliz. Mas será que uma tela pintada por você, por mais principiante que seja, não tem algum valor, ainda mais se for uma pintura dedicada a quem você ama?

Seja criativo, e viva com paixão, não com simples desembolsos. A criatividade é a moeda dos presentes que têm maior valor, aqueles que ficam para sempre. Viva criativamente, enquanto seu dinheiro trabalha em equilíbrio para evitar problemas que possam acabar com sua inspiração. Isso é o Ciclo da Prosperidade!

3. Faça o dinheiro trabalhar para você

Se hoje você trabalha para obter renda, é obrigação sua garantir outras formas de fazer dinheiro quando não puder — ou, simplesmente, não quiser — mais trabalhar. Investir bem parte do que ganha é a regra para o dinheiro não faltar em sua vida, pois, ao investir, você põe seu exército de recursos financeiros para trabalhar para você.

Quanto investir? Cerca de 8 a 10% de sua renda, caso conte com quarenta anos de trabalho pela frente, ou entre 15 e 20% de sua renda, caso seu prazo seja inferior a vinte anos.

Como investir? Com segurança, diversificação, disciplina e previsibilidade. Um plano de previdência privada lhe oferece tudo isso. Uma carteira diversificada de títulos negociados por intermédio de uma corretora também, caso você tenha conhecimento e disciplina próprios. Onde investir é menos importante do que como investir. Por isso, não importa qual seja seu investimento, inclua em seu planejamento de tempo mensal uma ou duas horas de pesquisa sobre investimentos, para melhorar continuamente suas escolhas.

O início do processo de acumulação de investimentos é infeliz, pois temos a impressão de que todas as alternativas de investimento são ineficientes. O fato é que, sobre pouco dinheiro, qualquer rentabilidade gera poucos resultados. Para minimizar esse sentimento, a regra é simples: acelere sua formação de poupança nos primeiros anos de seu plano, a fim de acumular exageradamente. Não se preocupe muito com a qualidade do investimento, mas sim com a segurança dele. Quando tiver uma boa poupança formada (pelo menos, R$ 20 mil), será a hora de começar a estudar melhores alternativas, pois os próprios rendimentos de seu patrimônio estarão acelerando o crescimento dele, gerando um prazeroso e interessante efeito multiplicador. É a isso que chamamos de efeito exponencial: quanto mais dinheiro temos, mais rápido ganhamos.

Com a devida disciplina e envolvimento do investidor, chegará o dia em que suas reservas financeiras complementarão a renda obtida pela previdência pública ou gerarão renda suficiente para manter sua vida, sem depender de seu trabalho. Esse será o dia de sua independência financeira, o dia em que o dinheiro trabalhando por você, sozinho, sustentará sua família com dignidade.

4. Invista no aumento da renda

Poupar é mais do que preciso; é fundamental para sua sobrevivência. No entanto, se sua sobrevivência significa manter-se em um patamar indigno, com uma renda que mal dá para assegurar necessidades básicas, é óbvio que não é esse tipo de vida que você quer garantir para sempre. Definir um patamar de renda que possa ser considerado suficiente para manter um bom padrão de vida não é fácil, pois a renda que permite luxos em Salvador pode não garantir um teto em Nova York. Mas, se seu nível de renda atual sequer o posiciona na classe média da sociedade em que você vive, então seu caso não é o de fazer poupança. É preciso, antes, investir no aumento de sua renda.

Isso não é difícil. É apenas trabalhoso. Você sabe que, para evoluir em sua carreira, precisa investir em um curso de capacitação ou de aperfeiçoamento. Sabe também que terá mais chances se souber falar dois ou três idiomas, além de sua língua nativa. E, certamente, não ignora que para viabilizar estudos, precisa ter tempo e dinheiro disponíveis.

Será que seus planos não estão levando em consideração apenas sua limitada renda? Se estiverem, o que você está fazendo é administração da pobreza. Não há sentido em dar sustentabilidade a uma vida insatisfatória. Por isso, se há um assunto mais prioritário do que sua qualidade de vida e seus investimentos, é sua educação para evolução na carreira e para sustentar a evolução de seu padrão de vida e de sua felicidade. Se, mesmo com as reflexões trazidas neste livro, você chega à conclusão de que, no momento, não é possível investir na carreira e começar a poupar ao mesmo tempo, deixe a poupança para daqui a alguns meses e fortaleça seu currículo com o curso que sua empresa (ou aquela que quer contratá-lo) espera que você faça.

5. Gaste menos sem consumir menos

Quem disse que a verba para o lazer precisa ser robusta? Isso só é verdade para aqueles que entendem por lazer viagens internacionais ou de longa duração. Mesmo assim, sabe-se que é possível viajar com preços muito abaixo do normal, desde que haja o adequado planejamento. A negociação é uma arma poderosa, mas várias situações nos apresentam descontos mesmo sem a necessidade de barganharmos.

Independentemente de qual seja sua preferência de consumo, você deve estar atento às oportunidades de consumir sem gastar, ou gastando muito menos do que de costume. Em geral, programas de fidelização oferecem prêmios a clientes assíduos. É o que acontece com passagens aéreas, almoços em horário comercial, hospedagens em hotéis, aluguéis de automóveis, compras pela internet, compras pelo cartão de crédito e compras em grande quantidade.

Precisando economizar, por que não dedicar mais tempo a soluções criativas para sua diversão?

Outra situação que oferece bons descontos no preço é o consumo fora de época, como acontece com viagens em baixa estação, almoço próximo ao fechamento do restaurante, roupas em final de estação, cinemas durante a semana e peças de teatro no final da temporada. Fugir do efeito manada, esperando a poeira do consumo baixar, pode lhe render bons trocados. Tudo o que você precisa é de atenção ao calendário e iniciativa para não perder a vantagem no momento certo.

Se consumir por menos preço é interessante, o que dizer de consumir sem pagar nada? Outra vantagem de manter-se atento ao calendário de eventos é descobrir os eventos gratuitos. O show de seu artista favorito pode estar sendo promovido pela prefeitura de sua cidade. Em geral, nos maiores parques das grandes cidades sempre há atrações culturais, normalmente desprezadas por quem está muito ocupado. Museus, em geral, adotam um dia do mês para oferecer entrada gratuita. Há casas noturnas que só cobram entrada para quem entrar a partir de determinado horário. Muitas companhias aéreas oferecem promoções-relâmpago para passagens de última hora, o mesmo acontecendo com cruzeiros. Não é de graça, mas o que dizer de passagens aéreas a R$ 1,00?

Precisando economizar, por que não dedicar mais tempo a soluções criativas para sua diversão?

6. Esteja na moda, mas sem modismos

Todos os anos, milhares de empresas gastam milhões para que seus designers, estilistas e engenheiros criem diferenciais em seus produtos com dois únicos objetivos: criar novos padrões de consumo e desvalorizar aquilo que você já comprou. Isso vale para roupas, acessórios, automóveis, eletroeletrônicos, telefones celulares e computadores, entre outros.

Se você não pretende se transformar em um reciclador de consumo, anualmente torrando fortunas e descartando itens seminovos, cuide para não se deixar levar por modismos, que é bem diferente de estar na moda.

Modismo é aquela nova tendência que choca, chama a atenção, causando estranheza a todos, mas valorizando quem a adota. Ficamos felizes por conseguirmos estar na crista da onda de uma tendência, virando referência para os amigos. Porém, quanto mais uma tendência nos choca, mais ela destoa das futuras tendências, tornando-se rapidamente descartável. Modismo é aquela moda que tende a ser adotada pelas pessoas em evidência, influenciar multidões rapidamente e desaparecer mais rapidamente ainda.

Para estar na moda, porém, não é preciso chocar. Basta não conflitar com a nova tendência e você não será considerado fora de moda. A chamada moda clássica cumpre esse papel, de atravessar vários modismos sem ser considerada ultrapassada. É assim com o jeans e camiseta branca para o fim de semana, com a penúltima versão do sistema operacional de seu computador, com o telefone celular lançado há dois anos e com o automóvel de linhas clássicas. Todos cumprem seu papel, sem serem considerados antiquados e por um preço bem menor que as novidades do mercado.

7. Tenha múltiplas fontes de renda

Nos investimentos, a lição número um é jamais colocar todos os ovos em uma cesta só. Para não perder todo seu patrimônio caso ocorra desastre com seu investimento de risco. Para sua renda mensal, a orientação não é diferente. Trabalho assalariado é uma escolha de risco, pois você não tem domínio total sobre sua empregabilidade, e pode perder o emprego e a renda quando menos esperar. O mesmo vale para um empresário: se sua empresa repentinamente tiver seus negócios inviabilizados, a renda do sócio-empresário simplesmente desaparece.

Quanto mais fontes de renda você tiver, menor será a dependência e o sentimento opressor de que você não deve correr riscos em sua atividade, e mais criativo você será.

Obviamente, à medida que nos envolvemos mais com nossa escolha de risco e nos educamos para conhecer mais sobre ela, diminuímos a probabilidade de perdas, como acontece nos investimentos de risco. Porém, é altamente recomendável que qualquer profissional cultive, ao longo de sua vida, oportunidades múltiplas de obter renda. Quanto mais fontes de renda você tiver, menor será a dependência e o sentimento opressor de que você não deve correr riscos em sua atividade, e mais criativo você será. Lembre-se, novamente, do Ciclo da Prosperidade. Quanto mais criativo e menos dependente, mais portas de oportunidades lhe serão abertas.

Isso é mais fácil para profissionais liberais, que podem ser professores à noite, articulistas nos fins de semana, cientistas de madrugada e também podem atender a seus clientes durante o dia. Mas, mesmo os assalariados com um único emprego deveriam perseguir meios de ter, pelo menos, duas fontes de renda alternativas a seu emprego. O especialista em seu mercado pode escrever artigos sobre temas que conhece bem, e publicar em jornais e revistas de sua área profissional. Também pode cursar um mestrado e passar a lecionar em faculdades e cursos técnicos uma ou duas vezes por semana. Outra opção é montar um blog que ofereça conteúdo de grande interesse, e faturar com a publicidade de sua página de grande visitação. Há quem prefira complementar sua renda com comissões sobre vendas diretas. Outros preferem se associar a um empreendedor conhecido, e ser remunerados por sua participação nessa sociedade. O que dizer, então, de "bicos" de fins de semana? Cozinhar para fora, atuar como árbitro em esportes, participar da organização de eventos, lecionar um idioma, criar obras de arte e atuar como corretor de imóveis, guia turístico, revisor de textos ou pesquisador são algumas alternativas adotadas por quem busca mais uma fonte de renda.

Muitas dessas atividades complementares podem ser até desempenhadas como hobby, sem o sentimento de comprometimento do fim de semana e sem lançar mão de uma resposta para a infame pergunta: "O que você faz da meia-noite às seis da manhã?"

8. Crie rendas passivas

Sim, trabalhar mais e ter múltiplas fontes de renda é um caminho para ganhar mais, pelo menos enquanto não conquistamos nossa independência financeira. E o que você acha da ideia de ganhar mais sem ter de trabalhar mais? Sem dúvida, é uma ideia melhor.

9. Pague menos impostos

Cumpra suas obrigações, mas não mais do que o mínimo necessário. Essa sugestão — egoísta e aparentemente infeliz, do ponto de vista da cidadania — faz todo sentido quando se trata de obrigações tributárias, principalmente se você não concorda com o destino dado aos recursos arrecadados por seu governo.

Para pagar menos impostos e continuar dormindo o sono dos justos, basta aproveitar as oportunidades legais de abatimento de tributos, prática chamada de *elisão fiscal*. Não tem nada a ver com a sonegação, que significa não pagar impostos que você deve.

Dependendo do país, do estado ou do município em que você vive, as regras de dedutibilidade da renda tributável e de compensações de impostos devidos sobre a renda e sobre o consumo variam. Nos Estados Unidos, por exemplo, a alíquota de Imposto de Renda é elevada, mas a tributação incide apenas sobre o lucro anual do trabalhador (e não sobre a renda), induzindo-o a prestar contas cuidadosas e listar de forma detalhada suas despesas para abater da renda os gastos pessoais. No Brasil, há poucas opções de dedutibilidade e uma extensa lista de regras e exceções, que acabam por intimidar o contribuinte pouco informado e levá-lo a elaborar declarações de imposto de renda sucintas e com pouco aproveitamento de deduções.

A regra para pagar menos impostos é simples. De tempos em tempos (a cada ano, é uma sugestão), dedique-se a estudar as regras do imposto de renda, principalmente os capítulos sobre deduções e abatimentos. Normalmente, jornais costumam publicar cartilhas completas sobre o tema na época do prazo de encerramento da declaração. Se seu estado ou município oferece algum tipo de benefício aos contribuintes que solicitam notas ou cupons fiscais, estude também as regras desse benefício anualmente. No estado de São Paulo, aqui no Brasil, tanto o estado quanto o município devolvem ao contribuinte parte do imposto pago em cada nota fiscal solicitada.[1]

---

[1] Veja mais a respeito em www.nfp.fazenda.sp.gov.br

10. Automatize seu plano

Se planejamento financeiro é uma realidade distante para você, e as sugestões aqui propostas pouco o motivam a agir ou só aumentam sua aflição, é porque você provavelmente não leva o menor jeito para controlar suas escolhas financeiras.

Isso não é motivo para abandonar seus planos de ter uma vida mais rica. É possível sim conduzir um planejamento financeiro eficiente, fazer boas escolhas de investimentos e conquistar objetivos com reduzida margem de erro, sem ter que se transformar em especialista no assunto e sem precisar se debruçar todos os meses sobre suas planilhas. O que deve ser feito é contratar o serviço de quem planeje sua vida financeira por você. Para famílias que possuem grandes fortunas, um consultor financeiro pessoal é a pessoa indicada para esse serviço. Quem ainda está a caminho de tê-las deverá contar com um plano de previdência privada, contratado junto a companhias seguradoras com a ajuda de um corretor.

O melhor investimento não é aquele que rende mais, mas sim aquele que o conduz a seus objetivos de forma mais segura e previsível.

A contratação de serviços implica pagar algum custo, o que pode resultar em desempenho inferior ao que seria obtido se a pessoa, com o devido conhecimento, conduzisse seu próprio planejamento. No entanto, esse custo deve ser encarado como o preço pela conveniência de não precisar dedicar tempo ao planejamento, justificando a conquista de nossos objetivos pelo uso do tempo e do conhecimento do especialista que nos conduziu até um patamar melhor.

O melhor investimento não é aquele que rende mais, mas sim aquele que o conduz a seus objetivos de forma mais segura e previsível.

Capítulo 9

Você está no caminho certo?

Gustavo Cerbasi

Dia desses, comemorando um aniversário de namoro, mergulhamos, Adriana e eu, em uma sessão de nostalgia, conversando sobre a evolução de nosso relacionamento e de nossas conquistas. Foi divertido, principalmente pela admiração mútua ao encontrar os números e as metas em nossas planilhas antigas. O orçamento para nossa primeira viagem, com duração de dez dias, não dava para comprar sequer uma passagem aérea de ida (levamos até macarrão instantâneo na bagagem, para garantir as refeições). De lá para cá, o número de férias anuais se multiplicou por quatro. As milhas aéreas voadas a trabalho cresceram doze vezes. O valor de nosso carro se multiplicou por quinze. Nossa renda se multiplicou por quarenta. Nossos gastos com lazer cresceram cinquenta vezes. O limite de crédito é cem vezes maior. Motivos numericamente suficientes para comemoração!

Por outro lado, alguns de nossos indicadores haviam piorado. Quando nos conhecemos, viajávamos a passeio a cada quinze dias, e hoje não chegamos a dez vezes por ano. Visitávamos meus parentes do interior a cada três meses; hoje chego a ficar um ano inteiro sem vê-los. Eu me reunia com os amigos de minha antiga equipe de natação ao menos uma vez por ano, mas já estou há quatro anos sem poder organizar esse encontro. Nos primeiros cinco anos de casamento, fizemos uma lua de mel por ano; nos últimos dois anos, estivemos juntos em mais de dez *resorts*, mas fazemos questão de não contar viagens que incluam trabalho como lua de mel.

Poderíamos identificar uma queda naquilo que consideramos importante, mas um fato nos conforta: o mesmo sucesso e o ritmo intenso de trabalho que têm me afastado de algumas riquezas têm também proporcionado suas compensações. Os amigos e os parentes que não têm recebido minhas visitas estiveram em lançamentos de livros e aniversários de meu filho, e com frequência recebo uma ligação me parabenizando pela entrevista na televisão. E o nascimento de mais uma filha, enquanto escrevo este livro, nos dá a certeza de que o ritmo de trabalho está por diminuir, permitindo resgatar alguns dos antigos hábitos que estavam se perdendo. Já marcamos alguns encontros com amigos, passei a garantir fins de semana de três dias, limitei o número de dias de trabalho fora de casa a oito por mês e voltei a praticar esportes diariamente, hábitos que não faziam parte de minha agenda regular há mais de cinco anos. No final, o saldo é bastante positivo.

Para saber se você está no caminho certo, ou seja, se está crescendo no Ciclo da Prosperidade, não basta olhar um ou dois indicadores, como renda anual e patrimônio familiar. Se fizer isso, correrá o risco de acumular muito dinheiro e se manter pobre, ou então de disponibilizar tempo para nada, banalizando sua rotina e entregando-se ao envelhecimento.

Você estará em evolução se o seu Importante estiver cada vez mais presente em sua vida, crescendo junto com você. Por isso, não temos como propor um conjunto de indicadores que indiquem se você está ou não no caminho certo. Quem sabe o caminho é você, que definiu seu Importante e está se propondo a persegui-lo com afinco. O questionário do início deste livro, que compõe o teste que o ajudou a identificar em qual tipo de ciclo está vivendo, tem o propósito de ajudá-lo a se lembrar do mais importante para sua vida. Mas, ressaltamos, o único que realmente tem condições de saber qual é o caminho correto é você mesmo.

Refazer o teste de tempos em tempos pode lhe dar uma boa indicação de sua evolução pessoal. Sugerimos que você imprima cópias do teste, disponível no website www.maistempomaisdinheiro.com.br/teste, e deixe-as em seu arquivo de comprovantes para a próxima declaração de Imposto de Renda. Refaça o teste ao menos uma vez ao ano, pelos próximos três anos. Caso tenha aplicado parte das sugestões que oferecemos neste livro, acreditamos que você perceberá uma nítida evolução em direção ao Ciclo da Prosperidade.

Uma história, dois caminhos

Para ilustrar o efeito de poucas e importantes escolhas em nossa vida, simulamos a evolução de vida de um casal fictício ao longo de dez anos, a partir de premissas baseadas no orçamento médio de cerca de 400 famílias atendidas pela Cerbasi & Associados Planejamento Financeiro ao longo de quatro anos. Ressaltamos que as premissas adotadas são aproximações de casos reais, que caracterizam a vida financeira de famílias típicas da classe média das grandes cidades brasileiras. Talvez você não concorde com alguma das premissas adotadas, em função de particularidades da região em que você vive, mas considere essa simulação válida para a média da população brasileira.

Nosso casal é formado por dois jovens de 30 anos, recém-casados, com uma renda familiar estável e líquida (já descontados os impostos) de R$ 3 mil. Eles contam com uma poupança de R$ 5 mil, estão com suas contas em dia e querem decidir se compram seu próprio apartamento, por meio de um financiamento de 15 anos, ou se alugam um apartamento menor, adiando o objetivo da compra. Os R$ 5 mil estão investidos em uma conta poupança que lhes rende 0,4% ao mês, já descontada uma estimativa de inflação de 0,2% ao mês.

CENÁRIO INICIAL:

Idade:	Ambos com 30 anos
Renda conjunta:	R$ 3 mil
Poupança inicial:	R$ 5 mil, investida e com rendimentos médios de 0,4% ao mês
Dúvida:	Comprar ou alugar um apartamento?

O casal conta com duas possibilidades:

1. Comprar um imóvel de três dormitórios, compatível com as expectativas de terem dois filhos nos próximos anos. A aquisição seria feita por meio de financiamento com prazo de 15 anos, com entrada de R$ 5 mil e prestações de R$ 1 mil. Para conseguir um imóvel de bom preço, teriam que morar a 25 quilômetros do trabalho de um deles e a 10 quilômetros do trabalho do outro, em uma região bastante residencial.
2. Alugar um imóvel de apenas um dormitório, localizado em uma zona comercial valorizada, próximo ao trabalho de um deles e a 16 quilômetros do trabalho do outro. O aluguel mensal seria de R$ 500.

Escolhendo a opção 1, de financiar o imóvel, o casal moraria em uma região mais tranquila, próxima das famílias de ambos, provida de boas escolas e com bom ambiente para as crianças crescerem e fazerem amizades. Porém, teriam sua poupança comprometida na totalidade e assumiriam um financiamento que comprometeria 33% da renda do casal.

Escolhendo a opção 2, viveriam em uma região menos tranquila, mas repleta de bares, restaurantes, cybercafés e serviços diversos como cabeleireiros, massagistas, clínicas e academias. Além disso, teriam sua poupança preservada e comprometeriam apenas 16,5% do orçamento com a moradia.

Fizemos, então, as seguintes estimativas de orçamentos mensais para a família, considerando as duas opções:

	OPÇÃO 1	OPÇÃO 2
	Financiamento apartamento 3 dormitórios	Aluguel apartamento 1 dormitório
Patrimônio financeiro	Poupança inicial paga a entrada do financiamento	5.000
Renda do casal	3.000	3.000
Moradia	1.000	500
Contas de consumo	350	250
Alimentação	450	450
Vestuário	200	200
Saúde	300	400
Transporte	500	300
Lazer	100	200
Educação	100	400
Poupança	0	300
TOTAL GASTOS	3.000	3.000

Adotamos as seguintes premissas para as escolhas de vida do casal, a partir da escolha do tipo de moradia em que eles viverão:

- O aluguel do imóvel pequeno custa metade da parcela do financiamento, porém condicionando-os a viver em uma região de menor qualidade de vida, mas disponibilizando R$ 500 adicionais para outros tipos de consumo.

- Um imóvel pequeno proporciona menos gastos com contas de consumo, principalmente em energia elétrica e gás (caso este seja usado para aquecimento da água). Morar em uma região comercial ainda viabiliza menor gasto com telefone móvel, em função da maior disponibilidade de telefones públicos. A grande oferta de cybercafés e a proximidade do trabalho ainda dispensa o casal de ter um computador em casa, revertendo em economia de assinatura de serviço de internet. Consideramos uma economia adicional de R$ 100 nas contas de consumo, em relação à opção de viver em um imóvel maior em região residencial.
- Os gastos com alimentação e vestuário são os mesmos nas duas opções.
- Em razão da maior disponibilidade de verba, consideramos que a opção 2 permite ao casal gastar mais com sua saúde para melhorar sua qualidade de vida, desfrutando, por exemplo, de terapias, acupuntura ou massagens.
- Se escolher a opção 1, a maior distância do trabalho obriga o casal a manter dois automóveis, aumentando significativamente o custo com transporte em relação à opção 2, que permite que um deles se desloque a pé ou de táxi para seus compromissos. Consideramos uma diferença de R$ 200 mensais.
- A maior disponibilidade de verba e oportunidade de desfrute proporcionados pela opção 2 resultam em 100% a mais em gastos com lazer.
- Também em função da maior disponibilidade de verba, alocamos, para a opção 2, 300% a mais em gastos com educação e R$ 300 em poupança, alimentando tanto o potencial de aumento de renda do casal quanto sua poupança inicial de R$ 5 mil.

- Extrapolando as premissas orçamentárias, podemos considerar que a maior proximidade do trabalho permite ao casal desfrutar de mais tempo juntos, ou de dedicar parte de sua agenda a cursos de especialização e atividades extras, já previstos no orçamento.

As premissas são simples e os números são redondos, para facilitar contas e reflexões, mas que consideramos perfeitamente razoáveis e compatíveis com cada uma das escolhas.

Imagine, agora, as consequências dessas opções e escolhas de consumo para os próximos cinco anos da vida do casal. Não é nenhum exagero supor que, na hipótese em que o casal consegue investir mais em educação, estará aumentando sua probabilidade de aumentar a renda ou receber uma promoção no trabalho. Isso é reforçado pelo maior nível de motivação, decorrente de maior intensidade de dedicação ao lazer e a cuidados pessoais. Projetamos, então, os seguintes aumentos de renda após cinco anos:

Se o casal escolheu a opção 1: aumento de 10% na renda total familiar.

Se o casal escolheu a opção 2: aumento de 20% na renda total familiar.

Além disso, enquanto a opção 1 não permite ao casal recompor a poupança gasta no pagamento da entrada do imóvel, na Opção 2 o casal estará aportando R$ 300 adicionais a cada mês. Mantida a rentabilidade real de 0,4% ao mês, a poupança final formada após cinco anos, considerando o saldo inicial de R$ 5 mil, será de R$ 26.732.

Dando continuidade a nossa simulação fictícia, estimamos que, aos 35 anos e em ambos os cenários, o casal agora conta com um filho recém nascido. Se escolher a opção 1, esse casal ainda estará morando no mesmo apartamento financiado de três dormitórios, e ainda estará pagando as prestações mensais de R$ 1.000. Para simplificar a simulação, simulamos que o financiamento é feito pela Tabela Price, com prestações constantes. Já na opção 2, o casal não teria condições de manter uma criança em seu apartamento de um dormitório, então eles estarão em um novo apartamento, de dois dormitórios e também alugado, pagando R$ 700 mensais de aluguel. Levando em consideração a maior preocupação com a qualidade de vida da criança e necessidade de estar mais próximo de parques e da família, o casal deixa de viver em uma zona comercial e se muda para uma zona mista, exigindo maior deslocamento ao trabalho. Nesses novos cenários, os orçamentos mensais do casal seriam os seguintes:

	OPÇÃO 1	OPÇÃO 2
	Financiamento apartamento 3 dormitórios	Aluguel apartamento 2 dormitórios
Patrimônio financeiro	Nulo, pela incapacidade de poupar nos anos anteriores	26.732
Renda do casal	3.300	3.600
Moradia	1.000	700
Contas de consumo	350	350
Alimentação	500	500
Vestuário	300	300
Saúde	350	500
Transporte	500	450
Lazer	100	200
Educação	100	300
Poupança	100	300
TOTAL GASTOS	3.300	3.600

As novas premissas propostas são as seguintes:

- Ao longo do tempo, consideramos que não há inflação em nossa simulação. Se houvesse, haveria correção tanto na renda, quanto nas prestações do financiamento e no aluguel, não impactando em nossas conclusões.

- Em função do maior aumento na renda, o casal já tem, na opção 2, um orçamento que supera em R$ 300 o que teria se optasse pelo outro cenário.
- O aluguel do imóvel de dois dormitórios, mais caro que o aluguel anterior, diminui a vantagem da opção 2; mais ainda, permite um diferencial de R$ 300 no orçamento para outras necessidades.
- Em razão do aumento no tamanho do imóvel e da impossibilidade de desfrutar da conveniência dos serviços da região comercial, consideramos que os gastos com contas de consumo passaram a se equivaler para os dois cenários.
- Os gastos com alimentação e vestuário continuam os mesmos nas duas opções, mas agora em patamar mais elevado, em função de existir um membro a mais na família.
- Ainda em razão da maior disponibilidade de verba, na opção 2 o casal se mantém gastando mais com sua saúde e cuidados pessoais.
- Enquanto na opção 1 o casal mantém seus gastos com transporte, na opção 2 esses gastos se elevam em função do aumento na distância percorrida para o trabalho. A diferença na verba para esse item cai de R$ 200 para R$ 50 mensais.
- Os gastos com lazer são mantidos nos dois cenários, ainda com um diferencial de 100% a mais para a opção 2.
- A busca pela qualidade de vida pressiona mais o orçamento do casal na opção 2 do que na opção 1, pois neste caso ela já fazia parte do "pacote". Consideramos que, na opção 2, eles mantêm a poupança mensal de R$ 300, mas reduzem seus gastos com educação de R$ 400 para R$ 300, reduzindo a carga de formação para dedicar algum tempo ao novo bebê. Já na opção 1, continuam

investindo R$ 100 mensais em educação (um terço do que no outro cenário), mas o aumento de renda propicia agora uma poupança mensal de R$ 100, começando a formar uma reserva para emergências.

- Apesar de maior consumo de tempo e de dinheiro no trajeto ao trabalho, o casal continua tendo, na opção 2, condições de dedicar uma maior parte de sua agenda e orçamento a cursos de especialização e atividades extras.

Façamos uma terceira e última projeção das consequências, segundo nossas premissas, das escolhas de moradia do casal. Avançando mais cinco anos na vida deles, manteremos a premissa de que a opção 2 levará o casal mais longe em sua carreira, fruto dos diferenciais em educação e motivação. Ao chegar aos 40 anos, supomos que terão os seguintes impactos em sua renda:

Se escolheram a opção 1: mais um aumento de 10% na renda total familiar.

Se escolheram a opção 2: mais um aumento de 20% na renda total familiar.

Mantendo seus aportes mensais de R$ 300 na poupança como consequência da opção 2, o casal chegará a uma reserva financeira acumulada de R$ 54.347. Na opção 1, pelo fato de terem retomado a construção de sua poupança com R$ 100 mensais, chegarão aos 40 anos com R$ 6.793 poupados. Os ganhos mantêm-se projetados com um rendimento líquido de 0,4% ao mês.

Novas mudanças acontecem nesta fase da vida. Consideramos que o casal agora tem um segundo filho pequeno. Na opção 1, ainda estarão morando no apartamento financiado de três dormitórios, mantidas as prestações mensais de R$ 1.000. Na opção 2, o casal mudou-se mais uma vez, agora para um apartamento alugado de três dormitórios, pagando R$ 850 mensais de aluguel. A escolha foi por viver em um bairro completamente residencial, experimentando o estilo de vida local e já fazendo planos de comprar, em breve, seu próprio apartamento na região. Estão agora mais próximos ainda da família, mas mais distantes do trabalho. Nesses novos cenários, os orçamentos mensais do casal seriam os seguintes:

	OPÇÃO 1	OPÇÃO 2
	Financiamento apartamento 3 dormitórios	Aluguel apartamento 3 dormitórios
Patrimônio financeiro	6.793	54.347
Renda do casal	3.630	4.320

Moradia	1.000	850
Contas de consumo	350	400
Alimentação	550	550
Vestuário	250	250
Saúde	450	600
Transporte	530	670
Lazer	100	200
Educação	400	600
Poupança	0	200
TOTAL GASTOS	3.630	4.320

Nessa nova situação, dez anos após a importante escolha entre o tipo de moradia em que viveria, o casal teria as seguintes condições de vida:

- O casal já conta, na opção 2, com um orçamento que supera em R$ 690 o do outro cenário, uma diferença de 19%.

- O aluguel do imóvel de três dormitórios aumentou para R$ 850, diminuindo a vantagem da opção 2, mais ainda com sobras de R$ 150 a mais no orçamento.
- Consideramos um aumento nas contas de consumo para a opção 2. Com maiores condições de consumo, é provável que o casal passe a desfrutar mais de eletroeletrônicos e aumente seu gasto de energia.
- Os gastos com alimentação continuam os mesmos nas duas opções, mas agora em patamar mais elevado, em função de existir um membro a mais na família. Por outro lado, os gastos com vestuário, iguais nos dois cenários, caem devido ao aproveitamento de vestuário de um irmão para o outro.
- Ainda em razão da maior disponibilidade de verba, na opção 2 o casal mantém-se gastando mais com sua saúde e cuidados pessoais.
- Os gastos com transporte aumentam ligeiramente na opção 1, prevendo um veículo maior para uma família de quatro pessoas. Na opção 2, esses gastos se elevam mais, pois o segundo automóvel passa a ser necessário em função da opção por uma vizinhança mais afastada do trabalho de ambos.
- Os gastos com lazer são mantidos inalterados.
- Em ambos os cenários, aumenta o gasto com educação, uma vez que o filho mais novo estará frequentando a escola.
- Na opção 1, o casal perdeu a capacidade de poupar, em razão do gasto com a escola, e ainda precisou consumir sua poupança na reforma do imóvel, que já estava completando dez anos e pedindo reparos. Na opção 2, o casal diminuiu sua poupança para R$ 200 mensais, visando preservar o orçamento.

A comparação entre as situações finais das duas opções, após dez anos, evidencia as consequências em termos de prosperidade e qualidade de vida decorrentes de apenas uma escolha de grande impacto financeiro na família.

Ao optar pela compra financiada em prazo excessivamente longo, o casal chegará aos dez anos de relacionamento sem poupança, com formação inferior e com menor qualidade de vida do que se optasse por uma vida financeiramente flexível, sem sobrecarga de compromissos financeiros fixos. Na opção 2, da moradia alugada e em tamanho compatível com a necessidade imediata, o casal teria, após dez anos, formação diferenciada, maior qualidade de vida e uma poupança de mais de R$ 54 mil.

Você pode estar se questionando: "Opa! Mas, o casal que optou por comprar o imóvel tem como patrimônio sua moradia!" Nada disso. Esse entendimento é completamente ilusório. Compare as duas situações:

	Opção 1	Opção 2
CASA PRÓPRIA	O casal ainda não tem a casa própria, pois ainda não a quitou. Em caso de inadimplência, há situações em que o imóvel até pode ser tomado judicialmente para quitar suas dívidas. Além disso, o imóvel em que vivem já está depreciado.	O casal não possui casa própria, mas provavelmente mora em um imóvel novo. Se decidirem comprar um imóvel, podem fazê-lo tranquilamente se contarem com a verba do aluguel (R$ 850 mensais) e com parte do dinheiro que é poupado regularmente, preservando a qualidade de vida diferenciada.
POUPANÇA	Inferior a R$ 7 mil, sustenta a família por apenas dois meses em caso de perda da renda, e ainda está precisando ser usada na reforma do imóvel. O imóvel não pode ser considerado poupança, pois está sendo consumido.	Os mais de R$ 54 mil manteriam a família por mais de 12 meses em caso de interrupção na renda, ou poderiam ser utilizados para pagar a entrada do imóvel, caso pensassem em comprar. Porém, explicamos, no item acima, que o diferencial na renda já seria suficiente para garantir a compra do imóvel sem o uso significativo da poupança.
DÍVIDAS	Mais cinco anos de prestações do apartamento comprado há dez anos, e que já exige custo de manutenção.	Não possuem.

Outra pergunta que você pode estar se fazendo é: "De onde sai o dinheiro para custear a compra e troca do carro, compra de eletrônicos, férias, comemorações e presentes?" Apenas para simplificar nossa simulação, consideramos que o casal já inicia sua vida a dois com um automóvel — algo que não é difícil de adquirir enquanto são solteiros e moram com os pais — e que os demais itens são custeados com o 13º salário.

Desprezamos, na simulação, a possibilidade de que o casal, ao viver a opção 2 e ter evoluído mais na carreira, poderia ainda contar com privilégios típicos de posições hierárquicas superiores, como plano de saúde, automóvel da empresa e custeio da educação dos filhos.

Não é uma questão puramente matemática

Com a simulação anterior, esperamos ter evidenciado os diversos aspectos pessoais e financeiros que caracterizam o Ciclo da Prosperidade. Na opção pelo imóvel alugado enquanto se constitui riqueza, são evidentes os sinais de prosperidade: crescimento constante da renda, da educação, do padrão de consumo e oportunidade de compensar, com práticas de qualidade de vida, as consequências de escolhas mais comedidas — como morar em um bairro não residencial, por exemplo. O casal até pode comprar um imóvel próprio se, a partir desse momento, decidir fincar raízes em seu bairro e evitar grandes guinadas na carreira. As boas condições financeiras viabilizam essa escolha.

A opção por uma vida mais simples só faz sentido se duas providências forem adotadas: a compensação em qualidade de vida e a compensação em formação de poupança.

Também são evidentes os sinais de que o casal, ao optar pela compra do imóvel financiado, enterra-se em um Ciclo da Sobrevivência cuja rotina é difícil de quebrar. Apesar de começarem a vida a dois em um padrão de vida superior ao da opção 2, seu orçamento é extremamente justo, sem margens para erros ou para pequenas realizações de desejos. Suas restrições financeiras para investir no currículo comprimem suas possibilidades de evolução na renda. O casal pode até se iludir, acreditando que possui um patrimônio valioso, mas seu único ativo está em uso e gera gastos, em vez de gerar renda, como a poupança. Para sair desse ciclo, existem poucas alternativas, as quais necessariamente consistem em dar um passo atrás nas escolhas.

Perceba que, até certo ponto, as decisões são matemáticas. Se escolhermos viver um padrão de vida um pouco mais barato do que aquele que nosso orçamento pode pagar, naturalmente sobrará verba para poupar e fazer nossa riqueza evoluir. Porém, se o casal não perceber que esse padrão de vida inferior exige algumas compensações com outros tipos de gastos, poderá entrar em um perigoso ciclo de acumulação financeira enquanto vivem uma vida pobre. Mantido esse ciclo, algo irá desmoronar. Pode ser a saúde, a carreira ou até mesmo o relacionamento, dependendo do caso.

É fundamental notar que a opção por uma vida mais simples só faz sentido se duas providências forem adotadas: a compensação em qualidade de vida e a compensação em formação de poupança. Essa última é a garantia de que o momento atual não passa de um degrau na longa e interessante escada para a prosperidade que temos pela frente. Essa visão do "algo a ser conquistado a cada dia" é um importante impulsionador de nosso crescimento pessoal e profissional.

Em várias das situações financeiras com que nos deparamos no dia a dia, a melhor decisão pode ser uma, do ponto de vista matemático, e outra completamente diferente do ponto de vista do bem-estar. Veja alguns exemplos:

	Orientação do ponto de vista MATEMÁTICO	Orientação do ponto de vista do BEM-ESTAR
Viajo três ou quatro vezes ao ano com a família. Comprar um carro grande, compatível com viagens, é um bom negócio?	Se seu orçamento está no limite, a compra de um carro pode tornar suas viagens inviáveis. Melhor comprar um carro pequeno e, nas viagens, alugar um carro maior ou um reboque para bagagens.	Se, para você, dirigir é um grande prazer, é preciso enxugar seu orçamento para outros itens como casa, vestuário e eletrônicos, fazendo da compra do automóvel uma prioridade. Não se esqueça de contabilizar os gastos adicionais, como seguro, impostos, manutenção, consumo e estacionamento.
Recebi uma herança. Devo quitar o financiamento da moradia?	Não. Se você já está em um momento avançado do fluxo de pagamentos (mais da metade das prestações pagas), terá pouco desconto a obter pelo adiantamento de parcelas, pois os juros embutidos nas parcelas finais do fluxo são bem menores do que os que incidem no começo. É melhor aplicar o dinheiro e continuar pagando as parcelas à medida que vencerem.	Caso você não se sinta seguro quanto a investir para depois sacar mensalmente, ou então sente que as pesadas prestações da moradia são um grande fator de estresse no orçamento e na rotina da família, quite seus compromissos e refaça seu orçamento daqui para frente, agora com mais equilíbrio e focando no Ciclo da Prosperidade.
Resgatar recursos de meus investimentos ou solicitar um empréstimo são boas alternativas para evitar cair no limite do cheque especial?	Sim. Se os juros do cheque especial são maiores do que os dos empréstimos pessoais, essa é a melhor escolha, a não ser que você tenha de onde resgatar recursos. Se os juros pagos no cheque especial são maiores do que os rendimentos dos investimentos (raramente não são), você estará perdendo ao manter dinheiro aplicado e pagar o custo da dívida.	Se você está seguro de que usará o limite do cheque especial por poucos dias e sem recorrência nos meses seguintes, deixe seus investimentos em paz (principalmente se você não os constrói com muita disciplina), e esqueça o empréstimo. Mesmo as elevadas taxas praticadas pesam pouco quando utilizadas por poucos dias. Ainda mais se levarmos em consideração que a contratação de um empréstimo nos toma tempo, nos impõe pisos para os valores mínimos e prazos para contratar, obrigando-nos a pagar mais juros do que precisamos.

Você tem algum problema financeiro a resolver? Então, faça as contas e compare duas situações: o preço de manter-se na situação em que está agora, e o lucro que você terá se mudar para uma nova situação. Ciente das duas situações, cabe a reflexão: você prefere lucrar com um sacrifício a mais, ou pagar o preço de continuar na zona de conforto? Se esse preço couber em seu orçamento com folga, a escolha é exclusivamente sua.

Capítulo 10

Como prosperar fora da carreira

Até então, ilustramos o Ciclo da Prosperidade com evoluções em nosso bem-estar, em nosso conhecimento para crescermos na carreira e, principalmente, na carreira em si. No entanto, nem todos podem contar com portas se abrindo, uma atrás da outra, ano após ano, nas carreiras em que escolheram. Em certas carreiras, uma evolução rápida e bem-sucedida pode nos levar precocemente ao teto, de onde não há mais espaço para crescer. Em outras situações, escolhas ruins podem nos conduzir a caminhos que não queremos percorrer, impondo-nos uma frustração crônica. Há ainda a situação em que a impossibilidade de crescimento se deve a nossa idade, por estarmos em uma carreira tipicamente para jovens. Como fazer com que um jogador de futebol continue evoluindo como jogador após os quarenta anos?

A resposta é: simplesmente não dá. Há casos em que temos de reinventar nossas escolhas, romper totalmente com o atual ciclo, seja ele de frustração, sobrevivência ou prosperidade, e rumarmos para um ciclo totalmente novo. Parar de trabalhar não faz mais sentido, pois estamos vivendo cada vez mais, e precisamos reinventar a forma de manter nossa capacidade de consumo. Buscar emprego em uma carreira totalmente nova é uma solução. Outra é partir para uma atitude empreendedora, constituindo um negócio próprio.

Empreender é, no capitalismo, questão de sobrevivência, já que é difícil imaginar um mundo não capitalista. No século passado, existiram bons argumentos contra esse modelo econômico. Defensores de outros modelos bradavam que o capitalismo só sobreviveria à custa da exploração do trabalhador. Afinal, o processo de geração de lucros sobre o capital consiste em remunerar o trabalho do trabalhador por um preço menor do que ele vale, gerando a chamada "mais valia" para o dono do capital — é por isso que o capitalista, também conhecido como investidor, consegue vender o produto desse trabalho por um preço maior do que paga em salários.

O papel do trabalhador é gerar lucros para a empresa em que trabalha — quanto maior sua capacidade de gerar lucros, melhor será remunerado — e, ainda, seu emprego só estará garantido enquanto ele continuar recebendo menos do que gera. É isso que motiva o investidor capitalista a continuar investindo. Parece um sistema desequilibrado, já que muitos trabalhadores sustentam o enriquecimento de uma minoria investidora.

Hoje, porém, apesar do aparente desequilíbrio, o capitalismo se tornou o modelo econômico vigente em todo o mundo, exceto por poucas economias fadadas ao isolamento. A razão dessa hegemonia está no seu sucesso, tanto para quem já conquistou o papel de capitalista, quanto na percepção de viabilidade para quem ainda quer se tornar. O sucesso é consequência da democracia inerente ao modelo capitalista, ingrediente fundamental presente nos países que adotaram o modelo.

Sim, continua sendo verdade que a lógica capitalista consiste em milhares de trabalhadores sub-remunerados multiplicarem a riqueza de uma minoria detentora do capital. A contribuição da democracia está no fato de que nada impede os trabalhadores sub-remunerados de, se desejarem, poderem separar parte de seus salários visando à acumulação, ou seja, a formação de capital. Se um trabalhador se planejar para acumular capital durante, digamos, seus trinta anos de carreira como empregado, com boa margem de certeza terá capital suficiente para montar um negócio e viver dele outros trinta anos. Basta, mais uma vez, um mínimo de planejamento.

Para o capitalismo se perpetuar, a aposentadoria ideal de um trabalhador não é parar de trabalhar, mas sim poder contar com um capital acumulado e, então, deixar o emprego e colocar esse capital para trabalhar, convidando pessoas sem capital para ajudar a multiplicá-lo. Em outras palavras, aposentar-se, no capitalismo democrático, consistiria em deixar de ser trabalhador e passar a ser capitalista, montando um negócio próprio ou vivendo de renda. Basta que um em cada cinco trabalhadores pense assim, ou seja, tenha um perfil empreendedor, para que sejam gerados empregos para os outros quatro que confiam na perenidade dos empregos.

Para que seus planos deem certo, porém, é fundamental que cada trabalhador tenha consciência de seu papel no capitalismo. Quem nasceu em uma família sem capital deve se esforçar para seguir uma formação de primeira linha, desejada pelas empresas que oferecem a oportunidade de multiplicar o capital de seus acionistas, e fazer da melhor forma possível o que lhe cabe na lógica capitalista. Essa será a garantia do emprego, que, por sua vez, será a garantia de poder formar capital ao longo da vida. Com capital, decidir montar um negócio, investir ou viver da renda de imóveis é questão de escolha pessoal e aptidão. Mas, reflita: quantos podem se dar ao luxo de fazer escolhas hoje?

A opção do empreendedorismo

A opção de empreender está se tornando cada vez mais uma alternativa para iniciar uma nova carreira, após ter se aposentado, ou mesmo como opção de trabalho em um mercado cada vez mais restrito e competitivo, com carreiras mais curtas e descartáveis. Desde a década de 80, com uma série de crises, reengenharia, avanços tecnológicos, novos modelos de gestão e a acirrada concorrência em todos os mercados, as empresas tornaram-se cada vez mais enxutas e propensas a cortar pessoas.

Os avanços da tecnologia, por sua vez, viabilizam os cortes de pessoal sem reduzir a capacidade produtiva. De acordo com um estudo da Alliance Capital Management, um dos maiores fundos de investimento americanos, entre 1995 e 2001, aproximadamente 31 milhões de empregos em fábricas foram cortados nas 20 maiores economias mundiais. Mas, nesse mesmo período, a produtividade das fábricas aumentou cerca de 4,3% e, no mundo, a produção industrial cresceu algo em torno de 30%. A economia cresce mesmo sem criar empregos.

Aos profissionais, restam duas opções: enfrentar o mercado de trabalho na busca de uma posição ou se aventurar com seu próprio negócio. Iniciar uma carreira empreendedora nada mais é, em essência, do que uma maneira de investir de forma produtiva seu tempo e suas reservas financeiras. Para muitas pessoas, quando pensam em ter mais tempo e mais dinheiro, a primeira coisa que lhes passa pela cabeça é abrir o próprio negócio. Existe uma lenda urbana que diz que apenas os empreendedores têm o tempo que querem, a liberdade de não terem chefe e o dinheiro fluindo como um rio para a conta bancária.

No entanto, essa lenda é uma verdade apenas para os empreendedores que sabem aproveitar seus recursos de tempo e dinheiro para fazerem o negócio crescer, conquistar mercados e, por consequência, ganharem ainda mais dinheiro. Realmente, não existe melhor investimento do que apostar em uma pequena empresa que pode se tornar uma grande corporação global, desde que ela seja muito bem administrada. Ter sucesso não é uma questão de sorte; é preciso muito trabalho, persistência, planejamento e visão. De acordo com uma pesquisa do Sebrae[1] de São Paulo, de outubro de 2008, a cada 100 novas empresas abertas, 27 não conseguem sobreviver no primeiro ano. No segundo ano, a taxa de mortalidade é de 48% das remanescentes e, no terceiro ano, de 46%.

---

[1] Serviço Brasileiro de Apoio às Micro e Pequenas Empresas. Veja mais no site www.sebrae.com.br.

Em geral, as pessoas optam por um negócio próprio por dois motivos. Um deles é pela necessidade, quando falta oportunidade no mercado de trabalho e empreender passa a ser a única opção de sobrevivência. A outra forma de começar uma empresa é quando a pessoa encontra uma boa oportunidade de negócio e, por opção, começa a empreender.

O tipo de empreendedorismo predominante sempre foi o por necessidade, mas, de acordo com a pesquisa anual realizada em 2008 pelo GEM (*Global Entrepreneurship Monitor*), principal órgão de monitoramento do empreendedorismo no mundo, foram registrados dois empreendedores por oportunidade, para cada empreendedor por necessidade. No passado, a proporção era sempre inversa. Isso mostra que a opção do negócio próprio tem sido mais frequente e realmente se tornou uma opção de carreira.

Outro dado relevante da pesquisa é que, pela primeira vez, jovens de 18 a 24 anos tiveram a mais alta taxa de empreendedorismo das faixas etárias pesquisadas, mostrando o empreendedorismo como opção para o início da carreira. Na pesquisa, o Brasil esteve na 13ª posição dos países mais empreendedores do mundo. Atualmente, a cada 100 brasileiros, 12 estão realizando algum tipo de atividade empreendedora.

Mas, será que essa opção é para você? Ou, o que falta para você dar certo nesse caminho? É realmente possível ter mais tempo e dinheiro com seu próprio negócio? É o que pretendemos responder a seguir.

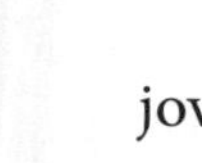

CHRISTIAN BARBOSA

Tornar-me empreendedor foi a primeira escolha que fiz em minha vida. Eu decidi que queria ser empresário depois de visitar uma loja de informática aos seis anos. Fiquei com essa ideia na cabeça e persisti com ela por toda minha infância. Aos doze anos, comecei a vender cardápios para restaurantes; aos quatorze, tornei-me um dos profissionais da Microsoft mais jovens do mundo e, naquele momento, abri minha primeira empresa de tecnologia com foco em internet, a Blue Eagle. Ela cresceu muito mais do que eu imaginava; tive muitos sócios que sempre me ensinaram a agregar valor. Fiz uma fusão com um grande grupo publicitário no país, depois vendi e abri outras empresas. Eu nunca fui tirar minha carteira de trabalho. Sempre empreendi; não sei o que é ser funcionário. Nem sempre acertei; já quebrei algumas vezes. O tempo sempre foi crítico em todos os meus negócios, e antes de aprender a domá-lo eu passei por seriíssimos problemas de saúde. Acho que todo empreendedor trabalha demais. No meu caso, eu só fazia isso.

Eu faço parte do time de instrutores do seminário para empreendedores Empretec, que é da ONU, mas no Brasil é realizado pelo Sebrae em todo o país. É a única hora em que fujo do meu tema para falar de outro assunto. A troca com outros empreendedores vale a pena. Infelizmente, vejo que muitos trilham o mesmo caminho que trilhei no passado, do estresse e do círculo da sobrevivência com a empresa. Empreender sem tempo, sem planejamento e sem foco frustra o empreendedor e não traz resultados.

Atualmente, aproximadamente 40% dos meus investimentos estão alocados em empresas das quais participo diretamente ou apenas como investidor, pela minha *holding*. Aprendi que, com gestão de tempo e boa gestão financeira, é possível ter negócios diversificados com resultados, sem precisar ficar no dia a dia trabalhando feito um louco. Eu gerencio *online* tudo que preciso e faço, em média, uma reunião mensal com os meus sócios. Minha estratégia de investimento pode ser arriscada, como toda empresa em início de sua história, mas isso está na minha veia, não consigo fazer outra coisa. Às vezes eu perco, mas o processo como um todo é muito gratificante.

GUSTAVO CERBASI

Eu tenho carteira de trabalho, mas os únicos dois carimbos que lá constam são dos estágios que fiz na Imprensa Oficial do Estado de São Paulo e na área de tecnologia do Citibank. Assim que me formei, comecei a trabalhar como consultor, constituindo uma empresa para isso. Fiz algumas experiências como empreendedor, abrindo meu próprio escritório de consultoria, minha empresa de cursos e palestras e uma importadora no Canadá. Em pouco tempo, descobri que, apesar de conhecer muito sobre empreendedorismo e planos de negócios, eu não gostava de gerenciar pessoas. Para meus negócios darem certo, tanto eu quanto a Adriana, minha esposa, teríamos de centralizar muitas decisões e viveríamos a vida toda muito sobrecarregados.

Decidimos, então, abandonar a ideia de termos vários negócios sob nossa supervisão. Toda minha atividade, hoje, é desenvolvida por intermédio de parcerias e terceirizações. Meus cursos e palestras são coordenados por uma assistente virtual, que trabalha na casa dela. Para projetos maiores e internacionais, conto com uma assessoria profissional. Deixei de realizar atendimentos pessoais, fechei meu escritório e, hoje, minha carteira de clientes é atendida e administrada por um parceiro de confiança. As assessorias de imprensa que me atendem, trabalham, na verdade, para meus editores. Não tenho escritório, não tenho equipe, não tenho secretária, nem estagiários. Também não tenho custos. Sou eu, meu computador e um notebook, administrando um site e uma agenda. Isso realmente faz com que eu seja dono de meu tempo. E, claro, também me traz muito resultado.

O perfil necessário a um empreendedor

Muita gente se pergunta se é possível se tornarem empreendedores, ou se apenas quem nasce com esse dom, que possui algum tipo de "superpoderes", é que pode empreender e dar certo. Será que qualquer pessoa pode se tornar um empreendedor, ou existe um perfil específico que determina o sucesso de uma empresa criada por alguém desse perfil?

A pergunta é frequente, mas a resposta não é simples. Empreender não é para todos. Algumas pessoas não possuem perfil empreendedor, mas têm um forte perfil corporativo. São pessoas que precisam de estrutura, segurança, líderes, normas e procedimentos, férias remuneradas, benefícios etc. Isso não significa que pessoas que nasceram nesse perfil estejam fadadas a trabalhar até o final de suas vidas para obter renda. Pelo contrário, pessoas com perfil para o mundo corporativo crescem rapidamente na carreira e podem chegar a ter muito sucesso e mais resultados financeiros do que a grande maioria dos empreendedores. No entanto, esse tipo de profissional deve conduzir sua carreira com a consciência de que o acúmulo de reservas para sua aposentadoria não terá como objetivo o início de um negócio próprio, mas sim a formação de uma carteira de investimentos de cujos rendimentos tirará sua renda futura. Muitas pessoas, com capital, mas sem perfil para negócios, tornam-se o que é chamado de sócio-capitalista das empresas. São aqueles que tornam um negócio viável para o empreendedor que não tem capital suficiente, e dividem com ele o resultado do negócio.

Para ter sucesso nos negócios é preciso contar com certo perfil para conduzir negócios, com seus processos, burocracias, pessoas e problemas. Para ter sucesso com um restaurante, é melhor ser um bom empreendedor que saiba contratar os melhores cozinheiros do que apenas cozinhar bem.

A pessoa não precisa nascer empreendedor. É possível formar um empreendedor, desde que ele aprenda certos comportamentos, características e conhecimentos que ajudam no desenvolvimento do negócio. Por isso, pessoas com boa capacidade de aprendizado e adaptação também podem se planejar para conduzir seu próprio negócio, desde que se dediquem para ter o devido envolvimento com o aprendizado e com a nova atividade. Empreender é um processo de amadurecimento, com muitos ensinamentos obtidos a partir dos erros. As seguintes características precisam estar presentes no empreendedor:

Visão. Empreendedor é quem vê o que os outros não veem. É quem encontra oportunidades nas coisas mais diferentes e esquisitas, mas que podem se transformar em novos modelos de negócios. É preciso ter visão para vislumbrar seu negócio e sua vida nos próximos 10, 15, 20 anos, e para persistir mesmo quando todos ao seu redor o acharem um lunático ou visionário. E, além de ter, também saber compartilhar essa visão com sócios, fornecedores, funcionários e investidores.

Riscos. A capacidade de administrar riscos é intrínseca ao processo de empreender. Diferentemente do risco inconsequente, o risco assumido nos negócios deve ser baseado em pesquisa, planejamento e objetivos claramente estabelecidos. Sem risco, não há chance de sucesso. O empreendedor precisa ter o poder de decisão para fazer escolhas, traçar estratégias e investir nas ações corretas.

Relacionamentos. É fundamental para o empreendedor e futuro líder do negócio a capacidade de estabelecer bons relacionamentos. Isso significa manter uma rede de contatos produtiva, como vimos anteriormente, de forma a fazer o negócio crescer por meio de boas parcerias. Significa saber se relacionar de forma adequada com seus colaboradores, gerando um ambiente de cooperação e resultados.

Persistência. Se o empreendedor não tiver uma dose altíssima de persistência para enfrentar os desafios do negócio, para vencer a concorrência, para lidar com clientes problemáticos e para enfrentar crises, o negócio não sobreviverá no médio prazo. Persistência se liga diretamente com ambição e comprometimento. É preciso ter ambição para definir metas audaciosas, e comprometimento com você mesmo para realizá-las no dia a dia. Sem essa dose de paixão pela empresa, você desistirá no meio do caminho e entrará para as estatísticas da mortalidade empresarial.

Planejamento. Mesmo que essa característica não seja um ponto forte seu, deve ao menos estar presente em um dos sócios do negócio. Sem planejamento, foco e definições estratégicas, a condução da empresa se perde e começa a patinar. A capacidade do empreendedor para definir objetivos, criar planos de ação, definir indicadores e gerenciar o tempo nessa jornada é primordial.

Existem outras características que um empreendedor de sucesso pode ter, mas sem essas cinco que listamos acima não há empreendedorismo. Todas são características que podem ser desenvolvidas no dia a dia, em treinamentos, observando empreendedores, com sócios ou mentores. O que não pode ser replicado e deve nascer de dentro de você é a paixão pelo negócio. Se você não gosta do que faz, ficará sobrevivendo e dificilmente entrará no Ciclo da Prosperidade. O empreendedor apaixonado ama tanto o que faz, que no domingo, por volta das 23h, está todo feliz por poder ir para a empresa no dia seguinte fazer o seu negócio crescer. Essa automotivação o ajuda a ser melhor a cada dia, a persistir, a ter mais visão, a planejar e a correr riscos.

Empreendedor ou escravo de si mesmo?

Se você está interessado ou já optou pela opção de empreender, é comum que a paixão pelo negócio e a vontade de fazer a coisa dar certo acabem por transformar você em um *workaholic*, cheio de falta de tempo, jornadas de trabalho superiores a doze horas diárias (incluindo fins de semana), poucos resultados e estresse. Nesse tornado de sentimentos, ainda temos a ansiedade, que é gerada pelos tão esperados resultados, a cobrança da família pelo afastamento e pressões de funcionários, parceiros e sócios para os negócios acelerarem.

Uma causa comum desses problemas é um processo invisível e silencioso que acontece no começo de muitos negócios. É a chamada Síndrome da Fusão, em que a vida pessoal se une com a vida empresarial. Empresa e vida pessoal se transformam em uma única coisa e, nesse momento, começam a aparecer muitos problemas. Um sintoma clássico dessa síndrome é quando o pró-labore se mistura ao caixa da empresa. Outro sintoma é marcar reuniões com frequência aos sábados, domingos ou após o expediente. O caso se torna grave quando o empreendedor acha que essas ações estão certas!

Esse é o momento em que o empreendedor descobre que ele, na verdade, é o pior tipo de patrão: o patrão de si próprio. Um patrão exigente, que cobra por resultados, não tem superiores para pedir folga e que tem de trabalhar o máximo possível para a empresa crescer, mantendo todas as pessoas que agora dependem dele. O estresse toma conta, a ansiedade aumenta, os papéis se misturam, os problemas crescem e a empresa começa a quebrar. Muitas vezes, o próprio empreendedor não consegue enxergar esse cenário, e só toma consciência da situação quando já é tarde demais. Por mais que tente dizer a conhecidos que não tem chefe para prestar contas e que ele tem tempo para fazer o que bem entender, o empreendedor que trabalha incessantemente para apenas fazer seu negócio sobreviver nada mais é do que um escravo do negócio, ou um escravo dele mesmo.

Todo empreendedor iniciante possui dois papéis que insistem em brigar dentro dele pelo controle do tempo e do dinheiro: o técnico e o empreendedor. Nessa guerra, muito tempo se perde e pouco resultado aparece. Os dois papéis são importantes, mas um deles vai prevalecer.

O papel de técnico é o executor, que tem o conhecimento técnico acumulado para criar e desenvolver os produtos e serviços da empresa. Seu pensamento é o agora e a visão é focada no seu ambiente de operação. As decisões são tomadas com base nos números e há um controle total sobre as contas da empresa.

O papel de empreendedor é aquele que busca oportunidades, planeja o negócio no longo prazo, investe no desenvolvimento de estratégias, tem visão e sonhos para a empresa. As decisões são tomadas no sentido de fortalecer parcerias, aumentar *market share* e estar à frente dos concorrentes.

É interessante que, nos negócios, ambos os papéis estejam presentes. O problema para a maioria dos empreendedores é quando um dos papéis sobressai tanto, que o outro acaba sendo anulado ou passa a existir apenas para cumprir formalidades.

O papel de empreendedor, sem o mínimo de conhecimento técnico ou sem utilizar ferramentas básicas de controle financeiro e de estudo de mercado, pode conduzir a empresa por caminhos incertos e perceber, tarde demais, que o negócio jamais daria resultados. Em geral, problemas financeiros em empresas jovens decorrem essencialmente do excesso de paixão pelo cliente e pelas vendas, os quais, somados à falta de informação técnica sobre limites operacionais e falta de capital de giro, resultam em vendas além do limite e acabam por corroer rapidamente a capacidade de resultados da empresa. Nas empresas jovens, todos os papéis que futuramente serão delegados a equipes especializadas devem estar sob domínio do empreendedor.

O técnico, por sua vez, como todo executor, gosta de acumular o máximo possível de responsabilidades, pois acredita que, devido ao seu conhecimento e experiência, é a pessoa ideal para fazer o trabalho bem feito. Essa atitude acaba tomando um tempo precioso do empreendedor que se vê absorvido pelo dia a dia operacional do negócio e não consegue ter tempo para que o papel de empreendedor apareça. Ele entra, dessa forma, no Ciclo da Sobrevivência ou da Frustração e nem se dá conta disso. O papel do técnico é de grande importância para a empresa, mas ele pode e deve ser delegado à medida que o negócio cresçe. Se o empreendedor tiver de ser técnico na empresa, então ele precisa de um sócio empreendedor que o ajude a ter a visão para a empresa crescer, ou voltar a ser funcionário. Caso contrário, ele será escravo do próprio negócio para sempre.

Para sair desses ciclos negativos e começar a girar o ciclo da prosperidade, a solução é equilibrar esses papéis. Na semana, se necessário, assuma também atividades técnicas, mas em menor quantidade. A maioria das atividades deve estar voltada ao planejamento, estratégia e crescimento da empresa. Seu lado técnico precisa aprender que outras pessoas podem fazer o trabalho, e ser bom do mesmo jeito. O conhecimento técnico que você possui (ou deveria possuir) é necessário apenas para validar o sucesso no serviço delegado. Use seu papel de técnico para treinar sua equipe, desenvolver procedimentos e novas estratégias operacionais.

Quando analisamos a empresa do ponto de vista do papel empreendedor, ela é entendida como uma forma de investimento que deve crescer para atingir os objetivos pessoais e não comprometê-los. A empresa não é sua vida e sua vida não é a empresa. Nesse conceito, o empreendedor se foca para a empresa crescer cada vez mais, dependendo cada vez menos dele. Ele entende que, quanto mais livre ficar, mais estará pensando em novos produtos e serviços, inovando, criando mais redes de contato e aumentando sua visão.

Plano de negócios: a base das decisões

Um plano de negócios é um documento que deve ser elaborado pelo empreendedor para ajudar na estruturação das ideias, na definição das principais estratégias e para saber se o negócio é viável de verdade. Ele não serve apenas para quem quer conseguir um sócio investidor, como muitos empreendedores pensam, mais sim para mostrar a sua equipe para onde a empresa vai, para ajustar as expectativas dos sócios, ter maior previsibilidade e definir os investimentos e as principais ações estratégicas.

Outro grande mito é que um plano de negócios precisa ser um documento chato, complexo e formalmente estruturado para ter resultados. Essa crença acaba por criar um medo tão grande que o plano acaba nunca cabendo na agenda.

Existem vários modelos, cursos e literaturas sobre como elaborar um plano de negócios. Não cabe a este livro desenvolver esse tema com profundidade, mas sim ajudar a incluir esse plano em sua agenda, torná-lo produtivo e com algumas dicas sobre estratégias financeiras. O tipo de plano também irá depender do público ao qual será apresentado. O que propomos a seguir é um modelo a ser construído ao longo de um mês, de forma simples e prática, que servirá para boa parte dos públicos interessados.

CHRISTIAN BARBOSA

> Eu desenvolvo um plano de negócios anualmente para cada empresa que tenho, faço uma revisão do plano no meio do ano e coloco os planos de ação na internet para acompanhar as metas, projetos e os indicadores. Aboli o plano formal de texto, cheio de blá-blá-blá, e passei a adotar uma apresentação com uns 25 slides que são mais do que suficientes para tudo que preciso planejar, além de uma planilha financeira com os números para os próximos 36 meses.

Um plano de negócios deve ser capaz de responder às seguintes perguntas:

- Em qual negócio exatamente você vai atuar e o que o torna diferente dos demais?
- Quais mercados e clientes irá atender?
- Quanto faturará e qual será seu resultado previsto para os próximos 36 meses?
- Como conseguirá atingir esses mercados?
- Qual o investimento necessário e o custo da operação até atingir o ponto de equilíbrio?
- Qual a estrutura necessária e os processos essenciais para fazer a empresa funcionar?
- Como será feita a gestão da empresa e quais as responsabilidades de cada sócio?

Muitos empreendedores não criam seu plano de negócio com a desculpa da falta de tempo ou alegando que não funcionam na prática. Para funcionar, dependerá da qualidade do plano e também de como ele é utilizado. Planos são guias, não caminhos fixos. Ao longo do tempo, devem ser revisados, modificados e refeitos conforme as demandas de mercado ou mudanças de estratégia. Mas, operar uma empresa sem um plano é como pilotar um avião sem uma rota.

Sobre falta de tempo, isso realmente pode acontecer se você incluir em sua agenda a atividade "Fazer o plano de negócios". Essa atividade é grande demais para ser organizada dessa forma. Diante de tudo que é grande demais, difícil e complexo, temos a tendência a procrastinar e só executar se realmente a urgência gritar em nossa orelha. Caso contrário, nunca fazemos. O plano de negócios é o exemplo perfeito desse princípio. Ninguém faz um plano do dia para a noite. Às vezes, são necessárias semanas ou até meses, dependendo do tamanho do plano.

O correto é quebrar essa grande atividade (um projeto) em atividades menores, de menor duração e maior controle. Você pode fazer isso com uma simples planilha no Excel, com um sistema *online* de planejamento ou na sua agenda de papel. Sugerimos, a seguir, um modelo, baseado em um plano de negócios simples, com tempo de execução de um mês e meio, aproximadamente. Adapte este modelo a sua realidade e necessidade, acrescente ou retire itens.

Cada atividade abaixo deve ser distribuída ao longo dos dias. Se você estiver empregado e a empresa está sendo construída em paralelo, distribua uma atividade a cada dois ou três dias, assim não pesará e você executará com mais facilidade. Aproveite sábados e domingos para as atividades mais demoradas, mas evite juntar muitas tarefas no mesmo dia, caso não seja muito disciplinado.

SEMANA 1 — ESTRATÉGIA	
ATIVIDADE	DESCRIÇÃO
Definição da empresa	Neste tópico, faça uma descrição do histórico da empresa ou sócios, composição societária, área de atuação, marca etc.
Missão, visão, valores	Qual o propósito de a empresa existir? Aonde ela pode chegar? Qual a filosofia empresarial?
Ameaças, oportunidades, pontos fortes e pontos fracos	Este tópico é a famosa matriz SWOT, que analisa aspectos estratégicos da empresa e ajuda na formação de um plano de ação aproveitando esses aspectos.

Definição de metas para os três primeiros anos	Conforme visto anteriormente, defina metas empresariais de forma específica, mensurável, alcançável e com tempo definido. Elas guiarão o plano de ação e os próximos itens da estratégia.
Estratégia de negócio, diferenciais competitivos	Qual seu diferencial competitivo com relação aos concorrentes? Em que seu modelo de negócio ajuda a vencer a concorrência?
Descrição dos produtos e serviços	Faça a descrição/apresentação dos principais produtos e/ou serviços oferecidos pela empresa.
SEMANA 2 — MERCADO & MARKETING	
Pesquisar concorrentes e modelos de negócio	Reserve um tempo na agenda para sair a campo ou pesquisar na internet o que seus concorrentes estão fazendo.
Pesquisar dados de mercado	Qual o tamanho do seu mercado? Qual o crescimento? Uma pesquisa focada na internet pode ajudar a trazer esses dados.
Perfil dos clientes	Quem irá comprar seu produto ou serviço? Como segmentar seus clientes?
Concorrentes (vantagens competitivas, pontos fortes e fracos, posição de mercado)	Com os dados levantados previamente, faça uma tabela comparativa para cada concorrente.
Estratégia para conquistar o mercado alvo	Como pretende conquistar seus clientes, com base nas metas definidas? Qual sua estratégia?
Estratégia de vendas (preço/promoção)	Qual o preço de seus produtos e serviços? Como irá divulgá-los ao mercado? Talvez, aqui, seja necessário o envolvimento de uma agência de propaganda. Complete o que tiver de informações e agende a reunião com a agência.
Projeção de vendas nos próximos 36 meses	Com base nos itens anteriores faça uma projeção estimada de vendas para os próximos 36 meses. Este item servirá de base ao planejamento financeiro.
SEMANA 3 — PLANO OPERACIONAL	
Definição da infraestrutura necessária	Qual infraestrutura de espaço, máquinas, sistemas etc. será necessária para sua empresa?
Definição do organograma, responsabilidade e salários	Por menor que seja a empresa, um organograma com definição clara de responsabilidades ajudará na delegação e na separação dos papéis do empreendedor.

Criação dos processos operacionais administrativos (recrutamento, férias, contas a pagar & receber etc.)	Estas atividades ajudam o empreendedor a ganhar tempo, ao transformar rotinas em procedimentos escritos, o que ajuda na delegação, treinamento e acompanhamento das atividades. Sem processos definidos, tudo se torna implícito e há maior necessidade de o funcionário adivinhar como fazer, o que pode gerar erros e urgências.
Criação dos processos de venda (prospecção, fechamento de pedidos, devoluções etc.)	
Criação dos processos de produção (como o serviço/produto deve ser produzido)	
Estratégias de contingências e prevenção de urgências	O que tem chance de dar errado em seu processo, produtos ou serviços? Qual o plano de contingência? O que pode ser feito pelo time para evitar esses tipos de urgências?
SEMANA 4 — PLANEJAMENTO FINANCEIRO (ORÇAMENTO)	
Investimento inicial	Qual o tamanho do investimento necessário para a empresa funcionar? Qual o volume de dinheiro necessário para o caixa, antes de a empresa dar resultados?
Despesas fixas	Faça a planilha com suas despesas fixas. Quanto menor esse item, melhor!
Fluxo de caixa	É a projeção das entradas (receitas) e saídas (custos, despesas e investimentos) de recursos financeiros por determinado período de tempo.
DRE (Demonstrativo de Resultados)	Como sugestão, faça anualizado para os próximos 36 meses.
Indicadores financeiros	Qual a taxa de retorno do investimento (TIR)? Em quanto tempo será recuperado o investimento feito? Quando será alcançado o ponto de equilíbrio?
Revisar planejamento financeiro	Peça ajuda a um amigo ou contador para fazer a revisão do seu planejamento financeiro, caso tenha dificuldades nesse item.

Esse modelo de plano de negócios acima é uma sugestão simples de distribuição de atividades. Obviamente, você pode necessitar de um plano mais detalhado, mas um mais simples que esse pode ser incompleto. Se conseguir dividir as atividades com seus sócios, o planejamento fica ainda mais fácil. O importante é não deixar de fazer. Crie um checklist para conclusão dessas atividades, e depois apresente seu plano a sua equipe, investidores e a quem mais interessar.

Empreendedor produtivo

É possível ser um empreendedor com produtividade, ter tempo para a família e resultados financeiros positivos, sem precisar se matar de trabalhar. Com pequenas mudanças de atitude, você pode contratar a produtividade para sua equipe e ter uma vida mais equilibrada.

É importante que você pense em sua empresa, por menor que ela seja, como uma grande empresa. Aliás, quanto menor você pensar, menor ela será. Imagine se o Bill Gates programasse até hoje; com certeza, a Microsoft seria apenas do tamanho da garagem dele. Uma grande empresa tem várias pessoas que a fazem crescer. No início, você pode ser a única pessoa da empresa, mas precisa começar pensando grande, pois quando a empresa crescer não será mais apenas você e, se ela não estiver preparada para esse momento, você ficará doido. Veja algumas estratégias para manter sua empresa e você no ritmo da produtividade:

Mantenha sempre atualizado seu plano de negócios. Com um bom mapa em mãos, será mais difícil perder o caminho.

Defina metas e compartilhe. Se você fez a lição de casa e seguiu as tarefas do seu plano de negócio, essa etapa já deve estar concluída ou bem adiantada. Metas salvam seu tempo e o da equipe, limitando a falta de foco e o excesso de prioridades. Quando tudo é prioridade, é porque não está claro o que realmente deve ser feito, pois provavelmente as metas não existem ou não estão suficientemente claras. Definidas as metas para a empresa, certifique-se de que as comunicou adequadamente a todos os envolvidos e que eles realmente as entenderam. Coloque os indicadores de metas visíveis ao time (por exemplo, quantidade de itens vendidos, lucro, novos contratos etc.).

Quando duas prioridades surgirem, instrua a equipe a olhá-la e se perguntar: qual das duas contribui mais para as metas da empresa? A prioridade que tiver maior relevância é a que deve ser feita antes.

Invista no organograma. Quando uma pequena empresa começa, o empreendedor é o organograma todo (presidente, diretor financeiro, gerente comercial etc.). Mas, com o crescimento, será preciso contratar pessoas. Sem um organograma definido, as contratações acabam sendo definidas por urgências, ou seja, na hora da necessidade, nos lembraremos do cunhado desempregado ou do amigo que parece entender do assunto, fadando a empresa ao nepotismo privado. Pior que um monte de profissionais sem a competência clara é o conflito de responsabilidades por não haver nada que esclareça quem faz o quê. Reserve um tempo para criar um organograma bem definido, incluindo cada área ou cargo estratégico. Defina responsabilidades, limites de atuação e os perfis profissionais que se encaixam nas vagas. Com o crescimento da empresa, a estrutura ficará mais organizada. Quando crescer a ponto de ter um gerente de recursos humanos, deixe-o revalidar todo esse planejamento.

Desenhe processos. Quanto mais a empresa funcionar sem você interferir ou se envolver, mais chances ela terá de crescer. E uma forma de esse "milagre" acontecer é pelo desenho de processos. Como funciona uma venda na sua empresa? Como prospectar clientes? O que deve ser feito primeiro, e o que vem feito depois? Se você desenhar o passo a passo das principais atividades da empresa, terá mais facilidade em treinar pessoas, conseguirá melhorar e aprimorar seus serviços mais rapidamente e terá indicadores de desempenho e documentação que poderão ser aproveitados em futuros processos de certificação de qualidade. Alguns empreendedores buscam contratar pessoas extraordinárias, mas esse tipo de profissional é raro, pode se transformar em tirano da equipe, é temperamental e, quando cresce, pode fazer o empreendedor de refém. O empreendedor deve buscar pessoas comuns que trabalhem de forma extraordinária. Isso se faz por meio de processos bem feitos.

Delegue tudo que puder. O empreendedor precisa ter a consciência de que outras pessoas também podem realizar o trabalho que ele faz. Ninguém é insubstituível. Isso não isenta sua responsabilidade, mas liberta-o para focar em outras atividades mais importantes. Se não for possível delegar, o crescimento da empresa estará diretamente ligado ao tempo do empreendedor, e este pode ser bem limitado. Obviamente, você não delegará definição de metas ou estratégia, mas o operacional deve ser delegado ao máximo à equipe. Para isso, comece o dia perguntando-se: o que posso delegar hoje? Se algo não pode ser delegado porque a pessoa não saberá como fazer, é hora de dedicar tempo para explicar ou talvez desenhar o processo. Uma das primeiras contratações que um empreendedor deve fazer é a de uma assistente administrativa ou de uma secretária. Ele não pode assumir tarefas operacionais que consomem tempo e não ajudam a empresa a crescer. Livre-se de tudo que for operacional, como cotações, agendamento de reuniões, ligações e clipping, entre outras.

Tecnologia produtiva. Quanto mais informatizada estiver sua empresa desde o primeiro momento, mais fácil será a gestão do negócio. Recomenda-se que três áreas estejam informatizadas desde o início: financeiro, gestão de clientes e gestão das atividades. Na área financeira, é essencial um sistema que controle contas a pagar e receber, faça o fluxo de caixa, o demonstrativo de resultados e a consolidação bancária. É preciso ter a gestão financeira nas mãos, mas sem precisar ficar contando cheques ou planilhando cada entrada. Sistemas financeiros com bons relatórios são baratos e rápidos de serem implementados. Para controle de clientes (ou até vendas), é importante um sistema de CRM (*Customer Relationship Management*), ou gestão de relacionamento com clientes, para documentar todo o processo de comunicação, vendas e negociação com clientes. Isso ajuda a estruturar a equipe comercial e a acompanhar todo o ciclo de vendas. Há diversos sistemas *online* com excelente preço na internet, como Salesforce.com, Microsoft CRM, ZOHO CRM,

SugarCRM, entre outros. Já as metas, projetos, informações, atividades e agenda precisam ser organizadas de forma que o empreendedor possa gerenciar o andamento das operações sem precisar ficar cobrando todos, se foi ou não foi feito. Entre as aplicações *online* para essa finalidade, estão o Neotriad.com, o ZohoProject e o Basecamp, entre outros.

Dia da estratégia. As tarefas operacionais do dia a dia são como musgos em pedras no fundo do mar. Grudam facilmente e são difíceis de raspar. O empreendedor fica tão envolvido com a rotina que deixa de pensar nas atividades estratégicas. Como sugestão, tire no mínimo meio período por semana para se dedicar ao planejamento do seu negócio. Se possível, afaste-se do escritório para evitar ser interrompido. De preferência, avise a equipe que não conseguirá ser contatado. Nesse dia, procure definir claramente uma série de atividades, para evitar perder o foco. Se quiser ter uma empresa lucrativa e que funcione bem, é preciso dar tempo ao papel empreendedor.

Agende férias. Lembre-se: não se torne escravo de si mesmo. Talvez, no primeiro ano da empresa, não seja possível tirar férias, mas, assim que começar a ter processos, delegar, criar sistemas e acompanhar os objetivos, conseguirá ter tempo para férias. É capaz de sentir que, com alguns dias fora, a empresa funcionará até melhor do que com a presença do empreendedor. Ter tempo para você é reativar sua energia para focar e ser mais produtivo. Se não fizer pausas para descansar e recarregar as "baterias", você ficará cada vez mais cansado e estressado, até seu corpo não aguentar mais e literalmente cair de cama, com uma gripe, gastrite ou um problema mais grave.

O Ciclo da Prosperidade do empreendedor

Se o Ciclo da Prosperidade começar a funcionar em sua vida somente quando você conseguir dedicar tempo para planejar melhor sua evolução pessoal, então, aparentemente, a solução poderia ser jogar sua carreira para o alto e partir para um negócio próprio, certo? Nada disso. Empreender realmente demanda muito tempo, no começo quase todo ele. Mas, apesar de você precisar de tempo para isso, não pode jamais esquecer que, ao partir para seu próprio negócio, você deverá empreender para enriquecer, e não para consumir seu tempo de forma improdutiva.

Sua empresa — ou carteira de empresas — nada mais deve ser do que o maior, mais importante e mais complexo investimento de sua vida, devendo ser conduzido como tal. Isso significa que, mais do que uma fonte de receita, seu empreendimento é uma fonte de enriquecimento. Deve crescer ao longo do tempo como qualquer investimento de qualidade.

No entanto, diferentemente de investimentos convencionais, o sucesso de sua empresa não depende do mercado, mas exclusivamente de suas escolhas, as quais são consequência de seus planos e do conhecimento que você tem do negócio em que decidiu investir. Essas escolhas deveriam levar em consideração que a sobrevivência de uma empresa se baseia em um ciclo simples de ser entendido, mas muitas vezes esquecido:

CICLO DA PROSPERIDADE
Educação + Qualidade de Vida = Melhores condições de subir na carreira
Promoção e aumento de salário
Aumentam as condições de usar mais tempo e mais dinheiro
Melhores condições de subir na carreira
Uso de tempo e dinheiro para se educar
Planos para ter mais tempo e mais dinheiro
Dedicação de tempo para se planejar

- Investimentos são feitos porque a empresa se mostra como um negócio rentável.
- Esses investimentos são estrategicamente alocados para otimizarem a geração de receita.
- A receita, após pagar os custos e despesas do negócio, gera o lucro, que é o rendimento obtido a partir do investimento feito.
- Se a empresa é um bom negócio, é interessante contar com ao menos parte dos lucros para investir mais. A outra parte deverá atender aos interesses pessoais do empreendedor, sendo distribuído aos sócios.
- Com mais investimentos, teremos mais receitas; com mais receitas, mais lucro; e, com eles, maior capacidade de satisfazer aos sócios e também de investir na expansão do negócio, fortalecendo a ideia de crescimento cíclico.

Uma empresa saudável se autoalimenta com seus lucros. Um dos mais graves erros financeiros de quem inicia um negócio é ignorar a importância da concentração de esforços em seu crescimento nos primeiros anos. É comum encontrar empreendedores com pouco tempo de estrada mamando nos resultados de uma empresa que, até então, está dando certo, proporcionando saltos incríveis em seu padrão de consumo pessoal. Ao distribuir dividendos em excesso, a empresa deixa de contar com um importante capital para custear seu marketing, a formação de sua equipe e a diferenciação e automatização de seus processos.

Não é exagero afirmar que o enriquecimento precoce do empreendedor leva a empresa ao enfraquecimento e empobrecimento, prejudicando a sustentação do falso padrão de vida conquistado na pessoa física. Uma empresa jamais se sustenta no Ciclo da Sobrevivência, pois seus concorrentes tendem a crescer e prejudicar seus negócios. A única forma de fazer uma empresa sobreviver é garantindo a continuidade em seu crescimento. O correto deveria ser distribuir bem menos do que o resultado total gerado, permitindo que as primeiras sementes de lucro gerem frutos e se multipliquem.

Por esse motivo, seu plano de negócios deve contemplar o autofinanciamento do crescimento e o planejamento para crescer continuamente como marca e força de mercado, para que se construa um Ciclo da Prosperidade empresarial que dê sustentação a um Ciclo da Prosperidade familiar do empreendedor. Se você pensa em montar uma empresa, mas sabe que seus recursos permitem apenas os passos iniciais, fazendo-o depender de resultados após poucos meses de atividade, adie seus planos. Planeje-se melhor e poupe o suficiente para garantir a formação de um bom capital de giro, permitindo não depender dos resultados de sua empresa no primeiro ano de atividades.

Capítulo 11

Mais tempo e mais dinheiro em sua vida

Talvez você tenha alguma dificuldade em identificar o começo e o fim de cada ciclo já percorrido em sua vida. Isso é natural, pois a vida não é feita de capítulos claramente definidos ou de portas que se abrem e fecham para passarmos, mas sim de uma contínua transformação dependente das milhares de decisões que nosso cérebro toma por dia.

Algumas etapas são claramente distintas por fatos marcantes, como uma promoção, um casamento, o nascimento de um filho ou a conclusão de um curso. Mas, é interessante parar para refletir, de tempos em tempos, sobre nossas conquistas pessoais menos evidentes. São exemplos desse tipo de conquista o fortalecimento de nossa liderança no trabalho, o início de uma prática esportiva, a melhoria da relação com os filhos, o aumento de nossas vendas, a maior qualidade de nosso sono e o aumento do número de dias de férias, entre outros. É por isso que ilustramos nosso Ciclo da Prosperidade com uma espiral, e não com uma escada. Nossa vida não para para balanço.

Por esse motivo, não espere um intervalo em sua vida para adotar uma nova postura ou sentar-se para elaborar um novo planejamento pessoal. Se há um Dia D para reunir a família para mudar de vida, esse dia é hoje. Ou, no máximo, no próximo sábado, desde que seja imediatamente reservado em sua agenda (um bom começo!).

Se temos muito a ganhar com a reformulação de nossas escolhas e praticamente nada a perder, por que adiar? Se estiver impedido em razão do excesso de urgências que você tem para resolver, coloque em prática o que chamamos de Momento da Virada (Capítulo 6). Mergulhe em uma madrugada em claro ou final de semana trabalhando para colocar-se em dia, entendendo esse sacrifício como uma mudança de rumo em sua vida.

Caso alguém o desencoraje ou o intimide a revolucionar sua rotina e suas escolhas de consumo, seja persuasivo e convide essa pessoa também a uma mudança de vida. Talvez, você passe a contar com alguém para lhe ajudar com ideias — afinal, duas cabeças pensam melhor do que uma. Quanto mais pessoas a sua volta estiverem engajadas em ter uma vida mais produtiva, mais ferramentas chegarão a seu conhecimento, e mais transformações você verá no ambiente que o rodeia.

IMPACTOS NA SOCIEDADE

GUSTAVO CERBASI

Em duas de minhas viagens ao exterior, à Suécia e ao Canadá, tive a oportunidade de presenciar a execução de um tipo de serviço que era feito de maneira muito distinta do que no país em que vivo, o Brasil: tapar buracos no asfalto. Na Suécia, o que me impressionou foi a agilidade. Havia uma curva próxima à parada do bonde que eu pegava todos os dias, na qual começavam a se soltar alguns pedriscos, indicando o início da formação de um buraco. O tráfego era intenso naquele ponto. De repente, um caminhão pequeno parou pouco antes da curva, e dele desceram dois funcionários com algumas máquinas na mão. Entre quebrar o asfalto e repará-lo, foram cerca de 25 minutos.

Mas, o mais impressionante foi o resultado: assim que o caminhão foi embora, ninguém seria capaz de dizer que fora feito, ali, um reparo. Havia, simplesmente, um risco quadrado de piche denotando que uma placa de asfalto idêntico ao restante e perfeitamente nivelado tinha substituído um princípio de buraco.

No Canadá, o serviço não foi tão impecável, mas muito bem feito. O que realmente me chamou a atenção foi o número de trabalhadores envolvidos na empreitada: apenas um. Esse único profissional chegou dirigindo sua própria e enorme picape, com um enorme luminoso piscando escandalosamente para garantir que os veículos que vinham pela via desviassem com antecedência. Ele a parou cerca de 50 metros antes do buraco, correu para a caçamba e dela tirou um boneco que segurava uma bandeira vermelha, posicionando-o à beira da estrada. Avançou mais um pouco com a picape, soltando cones sinalizadores automaticamente enquanto dirigia, e então posicionando-a junto ao buraco na pista. Acionando um elevador hidráulico, desembarcou alguns equipamentos. Com um computador de mão, fez alguns cálculos, riscou e recortou precisamente uma placa de asfalto. Trinta minutos depois, ele encaixava com precisão outra placa asfáltica de tamanho padrão, que ele também trazia na caçamba. Recolheu seu boneco, seus cones e equipamentos e partiu, deixando como resultado um reparo tão perfeito que, ao receber um tráfego pesado em seguida, sequer provocava ruídos dos pneus.

Dia desses, da janela de meu apartamento, observei o reparo de um buraco aqui em São Paulo. Eram exatamente 14 pessoas trabalhando. Um dormia ao volante do caminhão, outro segurava uma prancheta enquanto outros trabalhavam, e outro também observava, com capacete e sem prancheta. Dois estavam em cima do caminhão, jogando pedregulhos com pás. Outros dois alisavam o pedregulho jogado no chão. Havia uma pessoa controlando o fogo que mantinha o piche líquido. Outro borrifava o piche sobre o pedregulho, que seria depois esmagado por um rolo compressor operado por mais um trabalhador. Dois deles seguravam picaretas, provavelmente porque tinham sido responsáveis por acertar o buraco antes de tapá-lo. E, finalmente, havia outros dois batendo papo a uns vinte metros do serviço. Seguravam bandeirinhas vermelhas na mão, o que me levou a crer que deveriam estar sinalizando o trânsito. Quando aquela comunidade foi embora, o cenário do reparo lembrava a queda de um avião. Os carros chegavam limpos ao buraco e saíam com respingos de piche na lataria. A cada carro que passava, pedregulhos eram arremessados sobre os pedestres, nas calçadas. Ao presenciar a cena, liguei para a prefeitura e ainda ouvi: "Não há o que fazer, senhor, esse é o procedimento padrão de obras."

Não é preciso viajar o mundo para conhecer os erros e acertos de outras culturas. A televisão que invade nossos lares, quando assistida com olhares sociológicos, nos ensina muita coisa. Você já reparou que, em países em desenvolvimento, as cenas são sempre de vias mal pavimentadas, construções precárias e remendos mal feitos? E que as imagens de países desenvolvidos mais parecem cenários de filme ou obras recém-inauguradas? Essa diferença não é, como a maioria acredita, simplesmente fruto de desleixo, de incapacidade arquitetônica ou administrativa. Ela é fruto de uma falta crônica de prosperidade, que prejudica a formação e a qualificação do trabalhador, limitando sua capacidade de operar instrumentos e equipamentos de maior tecnologia.

Sem educação, o trabalhador limita-se a trabalhos braçais. Falta mão de obra para a indústria de tecnologia — que produz, por exemplo, simples equipamentos para recortar asfalto. Sem equipamentos adequados, os serviços devem ser feitos por um número maior de pessoas, as quais recebem pouco em razão de sua má qualificação.

Se a sociedade construísse prosperidade mais intensamente, começando pelo investimento em educação, os trabalhadores iniciariam suas carreiras com mais conhecimento e maior valor pelo seu trabalho. Faltaria mão de obra para o trabalho braçal, pois os jovens trabalhadores procurariam vagas, por exemplo, na indústria de tecnologia. Para executar serviços pesados, como tapar buracos no asfalto, faltaria mão de obra a preço acessível, o que obrigaria as empresas a automatizar seus processos, dando vazão ao trabalho da indústria de tecnologia.

Sem educação, o trabalhador limita-se a trabalhos braçais.

Curiosamente, com menos empregados e mais máquinas do que no processo medieval que conta com trabalho braçal, chega-se ainda a uma conclusão estarrecedora: um buraco bem tapado com tecnologia custa praticamente a mesma coisa do que um buraco porcamente escondido no muque. Se somarmos o salário anual da trupe que faz o serviço no Brasil, chegaremos a um valor parecido com o somatório do pagamento do engenheiro, mais as prestações anuais de seu carro, equipamentos e estoque de matérias (geralmente, comprados a crédito). Não é questão de investimento no serviço, mas sim de investimento no Ciclo da Prosperidade.

Sim, seria muito mais fácil se contássemos com educação pública de qualidade, incluindo disciplinas como Educação Financeira e Empreendedorismo. Porém, enquanto nossos tributos são usados para fins considerados mais importantes por nossos governos, cabe a nós a iniciativa de transformar nossa vida. Caso ainda não tenha feito, esse é nosso último convite para arregaçar as mangas imediatamente.

CONCLUSÃO PARADOXAL

Provavelmente, você procurou esta leitura em busca de ferramentas e dicas para ter mais tempo e mais dinheiro a sua disposição. Porém, uma leitura atenta provavelmente o trouxe à conclusão de que dinheiro e tempo são duas riquezas que nunca estarão realmente sobrando em nossa vida, caso tenhamos planos para aproveitá-las bem. A conclusão é paradoxal: nosso método para ter mais tempo e mais dinheiro não resulta em ociosidade e dinheiro sobrando, mas sim em uma vida mais produtiva e com o dinheiro mais bem gasto.

Isso não quer dizer que sua vida deve se transformar em uma busca frenética pela automação ou pela ocupação de cada fração de segundo, nem que você deva ganânciosamente perseguir o enriquecimento material que lhe permita esbaldar-se em um consumo fútil ou ridicularizar-se na ostentação de marcas e emblemas em suas vestes.

O motivo que nos conduz a compartilhar com você nossas filosofias de enriquecimento é a certeza de que todos nós temos algum propósito na vida, e que, muitas vezes, nos afastamos desse propósito por cairmos na armadilha da falta de oportunidade de fazer escolhas. Uma vida melhor planejada lhe permite exatamente isto: fazer escolhas. Se você não está feliz com o que faz, escolha deixar de fazê-lo. Se não está feliz com sua rotina, escolha mudá-la. Escolha ser feliz, fazendo o que gosta e gastando com o que lhe faz bem. Seja honesto consigo mesmo.

Escolha ser feliz, fazendo o que gosta e gastando com o que lhe faz bem. Seja honesto consigo mesmo.

Aproveite seu tempo para fazer de você uma pessoa diferente do rebanho. Lembre-se, isso não se conquista apenas estudando, mas também zelando por uma vida mais saudável e feliz. Aproveite seu dinheiro para criar mais felicidade também. Se você está satisfeito com o que tem, doe, distribua, ajude pessoas que convivem com você, patrocine a educação de quem realmente precisa. Só não se esqueça de fazer isso de forma sustentável, doando parte de sua renda, e não de seu patrimônio. O patrimônio é a garantia de renda e, consequentemente, a garantia de que suas escolhas podem se perpetuar.

Por falar em perpetuar, lembre-se de transmitir a sua família, principalmente a seus filhos, mais do que valores materiais. Dê sentido para seu tempo e para seu dinheiro, servindo de exemplo. Seus valores e os motivos que o levam a construir uma vida melhor são algo mais importante do que um carro quando seu filho entrar na faculdade, ou uma casa quando ele se casar, ou uma herança quando você o deixar para sempre. Heranças desaparecem rapidamente quando mal utilizadas. Seus valores pessoais, por outro lado, constroem o caráter de seus filhos e ficam para sempre.

Seus valores e os motivos que o levam a construir uma vida melhor são algo mais importante do que um carro quando seu filho entrar na faculdade, ou uma casa quando ele se casar, ou uma herança quando você o deixar para sempre.

Por isso, antes de se preocupar com o que você deixará de material para seus descendentes, preocupe-se com o legado que você está preparando a cada dia para deixar para todos que poderão se lembrar de sua história. Biografias são escritas não para contar o que pessoas conhecidas conquistaram, mas sim os tortuosos caminhos percorridos para chegar às conquistas. Se você não está escrevendo com o devido cuidado sua biografia, faça deste nosso guia seu manual de caligrafia.

Percorrendo ciclos, rumo ao infinito

A ideia do Ciclo da Prosperidade é fazer de nossa vida uma construção contínua e crescente de bem-estar e prosperidade. Acreditamos que você já tenha sido convencido disso. No entanto, será que esse ciclo pode ser sempre crescente, infinito, ou há um ponto em que necessariamente somos obrigados a embarcar em um Ciclo da Frustração, a partir do momento em que não podemos mais fazer escolhas?

Será que, com a perda da saúde, com a senilidade, com a falta de sonhos a realizar, não chegaremos à condição em que a evolução é impossível? Dizem que, na vida, evoluímos até certo ponto, e depois começamos a involuir lentamente, para morrer quase que com a consciência de uma criança. Realmente, uma visão triste, se essa não fosse uma interpretação pobre da essência do viver.

Nosso convite é para que você entenda o avançar dos anos como uma grande oportunidade divina. Ter tempo para nós mesmos, já afirmamos, é um dos fatores primordiais para nos sentirmos prosperando. Se, com o avançar da idade, temos cada vez mais tempo disponível, por que não entender que a vida estará cada vez mais rica? Talvez, a saúde não permita que você crie até seus últimos dias, mas, certamente, permitirá que você desfrute. Para isso, basta que crie as condições adequadas.

A percepção que temos do Ciclo da Prosperidade é algo parecido com o voo de um objeto espacial, como a sonda espacial Voyager, lançada em 1977 com a missão de ultrapassar os limites do sistema solar. O sucesso e a viabilidade de uma missão tão audaciosa só foi possível em decorrência dos ciclos presentes no plano de voo da sonda. Como não havia quantidade de combustível que desse conta de um trajeto tão longo, a sonda foi projetada para viajar impulsionada pela gravidade dos planetas pelos quais ela se aproximou. Foi lançada da Terra com uma grande quantidade de combustível, suficiente para alcançar o campo gravitacional de Vênus. Ao entrar nesse campo, acelerou em órbita do planeta até ganhar impulso suficiente para se desprender de seu campo gravitacional e rumar até Júpiter, ganhando mais impulso para um voo até Saturno, de onde receberia o impulso final para chegar aos limites do Sistema Solar. Dali, a comunicação com a Terra tornou-se impraticável, mas o que se sabe é que a Voyager estará sempre voando em direção ao infinito, em um dos mais belos e bem-sucedidos exemplos da aplicação das leis da física.

A evolução em nossa vida não é muito diferente dessa bela história. Somos "lançados" à vida com a ajuda de um bom combustível, que é o carinho e a educação de nossos pais. Eles são nosso foguete lançador, e participam da nossa vida o suficiente para adquirirmos o impulso necessário para alcançarmos o início do nosso próprio ciclo impulsionador. Se nossa rota não estiver bem planejada, ficaremos presos a uma das órbitas escolhidas — o Ciclo da Sobrevivência — ou mergulharemos em queda livre para dentro da atmosfera do "mundinho" que escolhemos — o Ciclo da Frustração. Os responsáveis pelo primeiro impulso são nossos pais, mas, uma vez em voo livre, nós somos os responsáveis pelos ajustes de voo que permitirão nos desprendermos da órbita em que entramos, impulsionando-nos rumo ao próximo ciclo. Quando dermos nosso último impulso rumo aos limites de nossa vida, o que determinará se nosso legado continuará rumando ao infinito quando nos "desligarmos da Terra" é a qualidade do trajeto percorrido até então.

E você? Se, no futuro em que você apenas fizer parte do passado, alguém se deparar com sua história, terá algo do que se admirar?

Onde aprender mais

Acesse o site www.maistempomaisdinheiro.com.br.

Leia também:

Investimentos inteligentes
Gustavo Cerbasi
Para conquistar e multiplicar o seu primeiro milhão

Todos já sonhamos em conquistar nosso primeiro milhão de reais. Trata-se de uma cifra mágica que representa a tão desejada independência financeira. Neste livro, Gustavo Cerbasi prova que alcançar o número mágico não tem nada de impossível e que, com a postura certa, podemos multiplicá-lo e transformá-lo em muitos milhões.

Formato: 16 x 23 cm. •ISBN: 97-88-56030373-1 •Número de páginas: 272

Investimentos inteligentes: Guia de estudo
Gustavo Cerbasi
Para conquistar e multiplicar o seu primeiro milhão

Coloque em prática tudo o que você aprendeu em *Investimentos inteligentes* por meio deste guia de estudo completo, com testes, temas para grupos de discussão, estudos de casos, jogos e outras atividades essenciais propostas para desenvolver sua habilidade de equilibrar finanças e encontrar o investimento que mais se encaixa em seu perfil.

Formato: 16 x 23 cm. •ISBN: 97-88-57860049-5 •Número de páginas: 152

THOMAS NELSON BRASIL

Este livro foi composto em Minion 12/15 e impresso pela Gráfica Ediouro sobre papel Pólen soft 80g para a Thomas Nelson Brasil em agosto de 2009.